認知症ケア指導管理士試験 公式テキスト 改訂版

初級

Dementia Caring
Administrator Examination
Official Textbook

一般社団法人総合ケア推進協議会 監修

一般社団法人
総合ケア推進協議会
Total Care Promote Conference

はじめに

　一般社団法人総合ケア推進協議会は、すべての人の健やかな生活に貢献することを目的とし2011年4月1日に設立されました。
　総合的なケアに関する正しい知識や技術の教育・普及・推進に努める為に、様々な啓蒙活動に取り組んでおります。
　現在は、「認知症ケア指導管理士」、「健康予防管理専門士」、「整容介護コーディネーター」資格を認定し、これらの資格のサポートや、キャリアアップセミナーの実施、ケアに関する書籍の監修・発刊をおこなっております。今後もより一層の内外各関連団体や個人の方との連携、交流に努めていきます。
　認知症ケア指導管理士は、認知症の方への適切なケア、ケアを行う方への指導・管理を行える人材の育成など、介護・医療現場で認知症ケアに携わる方の専門性向上を目的に、認知症や認知症ケアを学び、認知症の方やそのご家族に適切な認知症ケアを通じて、尊厳、安心を提供するための資格です。

一般社団法人総合ケア推進協議会

認知症ケア指導管理士試験（初級）公式テキスト　目次

はじめに …………………………………………………………………………… iii
認知症ケア指導管理士試験の概要 ……………………………………………… vi

第1章　認知症高齢者の現状
第1節　認知症高齢者の現状 …………………………………………………… 2
第2節　認知症と介護の問題 …………………………………………………… 4
確認問題 …………………………………………………………………………… 5

第2章　認知症の医学的理解
第1節　医学的にみた認知症とは ……………………………………………… 8
第2節　認知症を引き起こす疾患 ……………………………………………… 10
第3節　認知症と間違われやすい状態 ………………………………………… 20
確認問題 …………………………………………………………………………… 22

第3章　認知症の心理的理解
第1節　認知症の原因と症状 …………………………………………………… 30
第2節　認知症高齢者の心理 …………………………………………………… 32
第3節　行動・心理症状（BPSD）の出現原因 ………………………………… 36
確認問題 …………………………………………………………………………… 38

第4章　認知症ケアの理念と認知症ケア指導管理士の役割
第1節　認知症ケアの理念 ……………………………………………………… 44
第2節　認知症ケア指導管理士の役割 ………………………………………… 46
確認問題 …………………………………………………………………………… 50

第5章　認知症ケアの実践
第1節　認知症ケアの原則 ……………………………………………………… 56
第2節　認知症の人とのコミュニケーション ………………………………… 60
第3節　介護者のコミュニケーションスキル ………………………………… 64
第4節　認知症ケアの実践プロセス …………………………………………… 68
第5節　ケアマネジメントの進め方 …………………………………………… 70
第6節　ケアプランの実施と評価 ……………………………………………… 74
確認問題 …………………………………………………………………………… 78

第6章　日常生活支援
- 第1節　認知症高齢者の健康管理 …… 92
- 第2節　緊急時の対応 …… 96
- 第3節　症状に応じた体位 …… 104
- 第4節　行動・心理症状（BPSD）への対応 …… 106
- 確認問題 …… 115

第7章　認知症への薬物療法
- 第1節　薬物療法の基本 …… 124
- 確認問題 …… 128

第8章　認知症への非薬物療法
- 第1節　非薬物療法の基本 …… 134
- 第2節　非薬物療法の方法と留意点 …… 136
- 確認問題 …… 141

第9章　家族への支援
- 第1節　家族介護の現状 …… 146
- 第2節　家族支援の基本 …… 148
- 確認問題 …… 152

第10章　認知症ケアにおける社会資源
- 第1節　社会資源の種類 …… 158
- 第2節　医療保険制度の概要 …… 160
- 第3節　介護保険制度の概要 …… 164
- 第4節　公的年金制度と生活保護制度 …… 172
- 第5節　成年後見制度と日常生活自立支援事業 …… 174
- 第6節　高齢者虐待防止法の概要 …… 178
- 第7節　悪徳商法とクーリングオフ制度 …… 180
- 第8節　認知症の人に対する医療サービス・保健福祉施策 …… 182
- 第9節　各種のインフォーマルサービス …… 184
- 第10節　地域による支援 …… 188
- 確認問題 …… 192

認知症ケア指導管理士試験の概要

●試験概要

（試験日、試験会場、受験料等は、各回の**「受験要項」**で確認してください。）

試験区分	・認知症ケア指導管理士（初級） ・上級認知症ケア指導管理士
試験会場	東京・大阪・札幌・仙台・名古屋・福岡 その他の試験会場については、「受験要項」を参照
試験日	・認知症ケア指導管理士（初級）は年2回（7月・12月） ・上級認知症ケア指導管理士は**「受験要項」**を参照
受験資格	・認知症ケア指導管理士（初級）は特になし ・上級認知症ケア指導管理士は**「受験要項」**を参照
出題数・形式	60問・五肢択一（マークシート方式）
合格基準	問題の総得点の7割を基準として、問題の難易度で補正した点数以上の得点
認定	一般社団法人総合ケア推進協議会
出題科目	①認知症高齢者の現状 ②認知症の医学的理解 ③認知症の心理的理解 ④認知症ケアの理念と認知症ケア指導管理士の役割 ⑤認知症ケアの実践 ⑥日常生活支援 ⑦認知症への薬物療法 ⑧認知症への非薬物療法 ⑨家族への支援 ⑩認知症ケアにおける社会資源 ⑪応用問題（時事問題など）

試験のインターネット出願や、願書の入手、試験についての詳細につきましては、総合ケア推進協議会ホームページ（https://www.ss-cc.jp）にてご確認いただけます。

ホームページへアクセス

● 受験申込みから合格発表までの流れ

(試験日、試験会場、受験料等は、各回の「受験要項」で確認してください。)

1. 受験要項・願書の入手

    総合ケア推進協議会より入手（下記のいずれかの方法で入手）
    ・ホームページ（https://www.ss-cc.jp）よりPDFをダウンロードし、印刷
    ・ホームページ（https://www.ss-cc.jp）より資料請求メールでの取り寄せ
    ・お電話（03-5823-7885）での取り寄せ

2. 受験申込み

    ●インターネット出願
    ・ホームページ（https://www.ss-cc.jp）より出願
    インターネット出願は、受験料のクレジットカード等による払込が可能です。
    インターネット出願をご利用の場合には、受験願書の郵送による提出が不要です。
    ●郵送による出願
    ・受験料を受験料振込期間内に振込（振込手数料は受験者負担）
    ・必要書類を出願提出期間内に願書提出先へ送付

    ＜振込先＞
    三菱UFJ銀行　浅草橋支店　普通預金　口座番号0398877
    一般社団法人総合ケア推進協議会（イッパンシャダンホウジン ソウゴウ ケアスイシンキョウギカイ）

    ＜願書提出先＞
    〒111-0053　東京都台東区浅草橋1-32-3　2階
    一般社団法人総合ケア推進協議会

3. 受験票兼写真票・会場地図の送付

    ・受験料の振込及び受験願書の確認が取れた方には、受験受付締切後、
      約4週間後に送付

4. 試験実施

5. 合格発表

    ・試験実施後約6週間を目処に合否を判定し、結果を通知

6. 認定証交付

    ・認定登録には、別途、認定登録料が必要

第1章

認知症高齢者の現状

1 認知症高齢者の現状

近年の日本の人口構造は、少子高齢化という言葉に象徴されます。一昔前までは「老老介護」が問題になっていましたが、現在はこれに加え「認認介護」の実態が表面化しています。

1 認知症とは

世界保健機関（WHO）作成の国際疾病分類第10版（ICD-10）によると、「認知症とは、通常、慢性あるいは進行性の脳疾患によって生じ、記憶・思考・見当識・理解・計算・学習・言語・判断など多数の高次脳機能の障害からなる症候群」と定義されています。

このような認知症が生じる原因は、表1-1に示すようにさまざまです。

表1-1　認知症の主な原因疾患

神経変性疾患	感染症疾患	その他の疾患
・アルツハイマー病 ・ピック病 ・パーキンソン病 ・レビー小体病 ・ハンチントン舞踏病	・クロイツフェルト・ヤコブ病 ・AIDS（後天性免疫不全症候群） ・梅毒（進行麻痺）	・脳血管性障害 ・甲状腺機能低下症 ・アジソン病 ・ビタミンB_{12}欠乏症 ・膠原病

代表的な疾患としては、アルツハイマー病と脳血管性障害で、この2つの疾患が認知症の7～8割を占めています。詳しくは、第2章で解説します。

2 高齢者の割合

内閣府の『平成26年版高齢社会白書』によると、日本

▶認認介護
認知症の介護者が認知症の人を介護することです。

▶国際疾病分類
正式には「疾病及び関連保健問題の国際統計分類」といいます。WHOによって分類された統計基準であり、死因や疾病に関する情報の国際的な比較や、医療機関における診療記録の管理などに活用されます（P.9参照）。

▶見当識
現在の年月日・時刻、自分の居場所などの基本的な状況を把握することです。認知症では、見当識が徐々に失われていきます。

の65歳以上の高齢者人口は約3,190万人で、高齢化率は25.1％となっています。男女別にみると、65歳以上の男性は約1,370万人（男性人口の約22.1％）、65歳以上の女性は約1,820万人（女性人口の約27.8％）で、男性対女性の割合は約3対4となっています。また、65歳以上人口のうち、74歳以下（前期高齢者）は約1,630万人（総人口の約12.8％）、75歳以上（後期高齢者）は約1,560万人（総人口の約12.3％）となっています。

　日本の65歳以上の高齢者人口は、1950年には総人口の5％未満でしたが、1970年に7％を超え、「高齢化社会」となりました。さらに、1994年には14％を超え、「高齢社会」となりました。そして現在、高齢化率は25％を超え、4人に1人が高齢者、8人に1人が75歳以上という、**本格的な高齢社会**となっています。

▶高齢化率
総人口に対し、65歳以上の高齢者人口が占める割合をいいます。

▶高齢化社会と高齢社会
国連の報告書では、総人口に対する65歳以上人口の割合（高齢化率）が7％を超えた社会を高齢化社会と定義しています。また、高齢化率14％を超えた社会を高齢社会と呼んでいます。

3 認知症高齢者の割合

　65歳以上の高齢者について行われた認知症の有病率（病気にかかる割合）の調査では、地域・調査年代によって結果は異なりますが、5％前後（最小3.4％、最大7.3％）と報告されました（長谷川和夫「老年精神医学の過去・現在、そして未来」2007年3月より）。

　また、厚生労働省の「認知症施策推進総合戦略（新オレンジプラン）」によると、2012（平成24）年の認知症有病者数は462万人であり、2025（平成37）年には、約700万人になると推計しています。

　高齢者人口の増加に伴い、認知症高齢者も増加していくことが予想されています。

▶認知症高齢者の日常生活自立度Ⅱ
「日常生活自立度Ⅱとは、日常生活に支障を来すような症状・行動や意志疎通の困難さが多少見られても、誰かが注意すれば自立できる状態」とされています。

2 認知症と介護の問題

日本では、2000年4月から介護保険制度がスタートしました。要介護もしくは要支援状態と認定され、介護保険のサービスを利用する高齢者は、制度スタート以来、増加を続けています。

　介護保険制度とは、40歳以上の人全員を対象とした強制加入の公的社会保険制度です。詳しくは、第10章第3節で解説します。

　厚生労働省の「介護給付費等実態統計（令和6年4月審査分）」によれば、要介護・要支援認定者は、令和6年4月現在、約561万人となっています。また、年齢別の要介護・要支援認定者の割合は、65～69歳では2.6％程度ですが、80～84歳では19.7％、85歳以上では58.0％となっています。

　加齢に伴い、介護の必要な高齢者が増加し、介護度も重度化する傾向があり、寝たきりになることもあります。なお、東京都福祉保健局の「認知症高齢者数等の分布調査（令和4年）」の結果によると、要介護・要支援認定を受けた高齢者のうち、およそ2人に1人が見守り又は支援の必要な認知症高齢者（日常生活自立度Ⅱ以上）とされています。

　もちろん、認知症の症状はさまざまですが、発症すると徐々に進行し、介護負担も大きくなります。私たち介護者は、認知症という疾患の特性を常に意識したうえで、ケアの基本を習得し、認知症の人本人とその家族にケアを提供していくことが求められます。

確認問題

問1

認知症の高齢者の現状について、A～Eから正しい記述を3つ選びなさい。

A　日本では高齢者人口の増加に伴い、認知症高齢者も増加すると予想されている。
B　認知症の介護者が認知症の人を介護することを、認認介護という。
C　認知症の代表的な疾患としては、アルツハイマー病、脳血管性障害があり、認知症の5割を占めている。
D　認知症は、先天性の脳疾患によって生じ、記憶、思考、見当識、理解力、計算能力など多くの高次脳機能の障害からなる症候群と定義されている。
E　認知症を生ずる原因疾患として、レビー小体病、クロイツフェルト・ヤコブ病などがある。

問2

認知症と介護問題について、正しい記述の組合せを①～⑤から1つ選びなさい。

A　認知症の症状はさまざまであるが、共通点として、発症すると徐々に進行するが寝たきりになることはないという特徴がある。
B　加齢に伴い介護の必要な高齢者は増加するが、介護度が重度化することはない。
C　介護保険のサービスを利用する高齢者は、制度スタート以来増加を続けている。
D　認知症高齢者のケアに当たる介護者は、ケアの基本は自然と習得できる。
E　介護者は、認知症という疾患の特性を常に意識していく必要がある。

①　A・B　　②　A・C　　③　B・C　　④　C・E　　⑤　D・E

解答と解説

問1

解答 → A・B・E

解説
- A 厚生労働省の推計では、認知症高齢者は、2020年には約600万人、2025年には約700万人になると予想されている。
- B 認知症高齢者人口の増加により認認介護も増加すると予想される。
- C 認知症の代表的な疾患は、アルツハイマー病と脳血管性障害であるが、認知症の5割ではなく、<u>7〜8割を占める</u>。
- D 認知症は、<u>慢性あるいは進行性</u>の脳疾患によって生ずる。
- E 認知症を生ずる原因疾患として、パーキンソン病、AIDS(エイズ)などもある。

問2

解答 → ④ C・E

解説
- A 認知症の症状が進行し、<u>寝たきりになることもある</u>。
- B 介護度が<u>重度化することもある</u>。
- C 介護保険の第1号被保険者数、要介護認定者数、介護保険のサービス利用者ともに、制度発足時以来、増加を続けている。
- D 介護者にとってケアの基本の<u>習得が必要であり、学んでいくことが大切</u>である。
- E 認知症の症状はさまざまであるが、発症すると徐々に進行し、介護負担も大きくなるという特性がある。疾患によって日常生活にどのような影響が出ているのかを知ることが介護の基本である。

第2章

認知症の医学的理解

1 医学的にみた認知症とは

認知症は老化によって発症しやすくなりますが、必ず脳に病的変化が認められます。「健康な脳の老化現象」と「脳の病気である認知症」の違いを理解してください。

1 認知症の診断

認知症の一般的な表現としては、「脳に病変が発生することが原因で、知的機能の低下が起こり、日常生活の自立が困難になった状態」が理解しやすいと思います。つまり、今まで普通に自分で行っていた日常生活の動作・行為（ADL：Activities of Daily Living）が、徐々にできなくなっていく、または、何らかの支援が必要になっていくということです。

では、認知症の症状とは何でしょうか。まず、「もの忘れ」という回答があげられそうです。しかし、もの忘れには、2つの分類があります。

1つは、生理的なもの忘れ（＝**健忘**）で、年をとってくると、誰にでも起こるものです。もう1つは、病的なもの忘れ（＝**認知症**という病気のために起こるもの忘れ）です。この2つの違いは、表2－1のとおりです。

表2－1　普通のもの忘れと認知症のもの忘れの違い

★健常者は、体験の一部のみを忘れるので、体験の他の記憶から、忘れていた部分を思い出すことができる。

★認知症のもの忘れは、体験全体を忘れているので、思い出すことが困難である。

記憶の帯 → 普通のもの忘れ

記憶の帯 → 認知症のもの忘れ　抜け落ちる

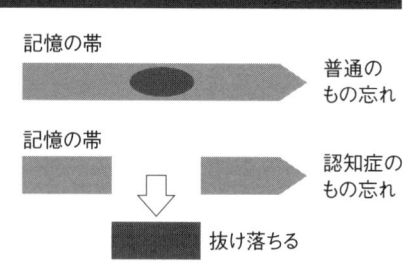

▶日常生活動作
食事・排泄・入浴・寝起き・移乗・移動・着脱衣など、日常生活を送るために必要な行動を指します。

▶精神疾患診断統計マニュアル（次ページ）
精神疾患の定義を記した基準の組み合わせに基づいて、精神疾患を病型に分けた診断・統計マニュアルです。精神科医が患者の精神医学的問題を診断するさいの指標として用いられ、アメリカのほか世界各国で参考にされています。

▶DSM-Ⅳ-TRの診断基準（次ページ）
DSM-Ⅳ-TRとICD-10は、いずれも診断基準に「記憶障害」を必要とし、類似しています。ただし、DSM-Ⅳ-TRでは「社会的または職業的機能の著しい障害」も必要としている点で違いがあります。

「最近、もの忘れがひどい」と感じた場合、その症状は、生理的なものなのか、病的なものなのか、診断することが必要になってきます。鑑別するには、医療機関を受診して、診断してもらうことも大切です。認知症の診断基準では、アメリカ精神医学会作成の精神疾患診断統計マニュアル第4版（DSM-IV-TR）、もしくは、世界保健機関（WHO）作成の国際疾病分類第10版（ICD-10）（P.2参照）の診断ガイドラインが用いられています。精神疾患診断統計マニュアルで診断するさいの主な項目は、以下のようになります。

① 記憶障害がある。
② 失語、失行、失認、実行機能の障害が1つ以上ある。
③ 上記①・②の記憶障害・認知障害は、それぞれが社会的または職業的機能の著しい障害を引き起こし、病前の機能水準からの著しい低下を示す。
④ 上記①～③の障害は、せん妄の経過中に出現しているものではない。

2 認知症の疑いがある場合

認知症の原因を明らかにするには、専門医に受診し、問診、診察、CTスキャン・MRI（核磁気共鳴画像）などの検査を受けることが必要です。

なお、認知症の症状の有無や程度を明らかにする目的で、**各種の簡易知能評価スケール**を使用することがあります。一般的なものとして、以下の3つの例があります。
・改訂長谷川式簡易知能評価スケール（HDS-R）
・Mini-Mental State Examination（MMSE）
・柄澤式「老人知能の臨床的判定基準」

▶ICD-10の診断ガイドライン
精神症状のみを論理的推察と統計学的要素を取り入れ分類したものです。これにより、診断基準が明確になり、医師の主観的な精神疾患の判断に対して客観的な判断が示せるため、医療スタッフ側の意見の差異による診断の違いが最小限に抑えられます。

〈診断項目で使われる用語〉
・失語：言語に障害がある。
・失行：運動機能は障害されていないが、運動行為を遂行する能力が障害されている。
・失認：感覚機能は障害されていないが、対象を認識または同定できない。
・実行機能の障害：計画を立てる、組織化する、順序立てる、抽象化することに障害がある。

2 認知症を引き起こす疾患

認知症といっても、疾患によって脳の病変は異なり、症状や進行の具合も異なります。

認知症を原因疾患別にみると、アルツハイマー型認知症が約50％を占め、次いで、脳血管性認知症が約30％となっています（表2-2参照）。

表2-2　原因疾患別の認知症の比率

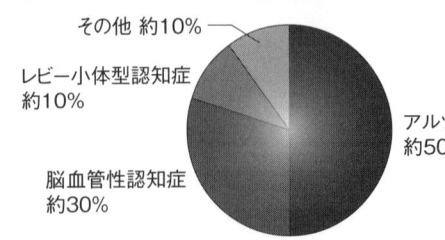

- その他 約10％
- レビー小体型認知症 約10％
- 脳血管性認知症 約30％
- アルツハイマー型認知症 約50％

表2-3　認知症の原因疾患の分類

分類	種類
神経変性疾患	アルツハイマー病、ピック病、レビー小体病、パーキンソン病、脊髄小脳変性症、進行性核上麻痺、ハンチントン舞踏病等
脳血管障害	脳梗塞（脳塞栓・脳血栓）、脳出血等
外傷性疾患	脳挫傷、脳内出血、慢性硬膜下血腫等
腫瘍性疾患	脳腫瘍（原発性・脳転移性）、癌性髄膜炎
感染性疾患	クロイツフェルト・ヤコブ病、AIDS（後天性免疫不全症候群）、梅毒（進行麻痺）、髄膜炎、脳炎等
内分泌・代謝性・中毒性疾患	甲状腺機能低下症、下垂体機能低下症、アジソン病、ビタミンB_{12}欠乏症、肝性脳症、電解質異常、ウェルニッケ脳症、アルコール脳症等
その他	肝硬変、正常圧水頭症、多発性硬化症等

▶その他の原因
長期間のアルコール依存の結果、認知症が発症することもあります。また、甲状腺機能低下症、肝硬変（末期）により認知症の症状が起きたり、ビタミンB_{12}や葉酸の欠乏、極度の貧血などによって発症することもあります。

1 アルツハイマー型認知症

①特徴
　初老期～老年期にかけて発症し、認知機能の障害に加え、人格変化や精神症状を伴うことが多いのが特徴です。
　発症時期が特定しにくく、「いつの間にかもの忘れがひどくなっていた」ため専門医に受診するケースが多いようです。発症が65歳未満の場合を**早発型**、発症が65歳以降の場合を**晩発型**としています。症状の進行は比較的緩慢で、発症から7～8年で寝たきりに近い状態になるといわれています。

②原因
　はっきりとした原因は、解明されていませんが、異常な蛋白質からなる**老人斑**が脳に出現し、脳の神経線維を変性させることが、原因の1つとされています。これが脳全体に蓄積し、正常な神経細胞を破壊します。その結果、**脳の萎縮**が起こります。

③発病しやすい年齢（好発年齢）
　加齢に伴い発症確率が高くなります。65歳では発症率は1％未満ですが、75歳では10％、85歳では25％といわれています。男性より女性の発症が多い傾向があります。

④症状
　主な症状は認知機能の障害であり、記憶・見当識・理解力・判断力等の障害や人格変化等が起こります。特に目立つのは**記憶障害**で、記銘力（新しいことを覚えること）の低下が著しく、同じことを何度も尋ねたり、今話したことを忘れたりします。かつ、今話したことを忘れたという自

▶異常な蛋白質
βアミロイドをいい、老人斑を構成します。βアミロイドが脳全体に蓄積することで、健全な神経細胞を破壊し、脳の働きを衰えさせて、脳の萎縮を進行させるといわれています。

▶アルツハイマー型認知症の原因の1つといわれるもの（仮説）として、アルミニウムイオンや遺伝、感染症なども原因の可能性があるといわれています。

覚もありません。場所・人物・時間に対する**見当識障害**もみられ、迷子になったり、家族と他人の区別がつかなくなったり、時間的観念がなくなったりします。症状が進行すると、徘徊（はいかい）・不穏・暴力行為・昼夜逆転・妄想（もうそう）（被害妄想・関係妄想・嫉妬（しっと）妄想）等が起こることもあります。アルツハイマー型認知症は病状の経過に伴い症状が変化します。現在の症状から病状進行を評価する方法として、Functional Assessment Staging（FAST）があります。

　FASTについては、第5章第5節で詳しく説明します。

⑤診断

　認知症の臨床症状（病気によって現れる症状）と、CTスキャン・MRIなどによる脳の萎縮の存在から診断します。認知症の程度の診断には、第1節で紹介した簡易知能評価スケール（改訂長谷川式簡易知能評価スケール、Mini-Mental State Examination等）が用いられます。

⑥治療方法

　治療方法や予防方法は、現在のところ確立されていません。進行抑制を目的として、塩酸ドネペジル等の薬物が使用されることがあります。また、心理療法として、回想法やリアリティオリエンテーション（RO）、音楽療法等が行われています。

　詳しくは、第8章第2節で説明します。

2 脳血管性認知症

①特徴

　アルツハイマー型認知症に次いで発症が多い認知症です。

脳梗塞や脳出血の発作を契機に、段階的に進行します。

②原因
　脳梗塞や脳出血により、広範囲に脳組織が障害を受けることで発症します。脳血管に大小さまざまの梗塞（血管のつまり）が多発すると認知症が起こりやすいので、その場合を**多発梗塞性認知症**と呼んでいます。

③発病しやすい年齢（好発年齢）
　60歳以降の男性に多く、急に発症し段階的に悪化する傾向があります。画像診断では、小梗塞の多発や白質の不全軟化などが認められます。

▶不全軟化
病的に組織が軟らかくなり、機能しなくなることです。

④症状
　記憶障害が主症状ですが、特に、**記銘力障害**が目立ちます。進行に伴い、判断力や計算能力、理解力も低下していきます。全体的な記憶障害ではなく、一部の記憶が保たれることから、「まだら認知症」とも呼びます。また、感情が変化しやすく、些細なことで怒り出したり、涙を流したり、感情の波が大きくなります（**情動失禁**または感情失禁と呼びます）。
　アルツハイマー型認知症に比べ、人格障害は少ないとされています。なお、脳梗塞・脳出血のため、**神経症状**を伴います。

〈神経症状の例〉
・片麻痺……半身不随とも呼ばれ、右または左の上肢・下肢の筋力がともに低下して、運動ができなくなります。脳卒中などで脳に損傷を受けたことにより起き、左片麻痺と右片麻痺があります。左片麻痺は右脳を損傷し、運動障害・感

覚障害（しびれ）・視野障害を起こします。右片麻痺は左脳を損傷し、言語障害（下記参照）などを起こします。左片麻痺と右片麻痺に共通する症状として、半身麻痺や記憶障害などがあります。

・言語障害…脳卒中などで脳に損傷を受け、読む・聞く・話すといった言葉の能力の全部または一部が障害されます。言語の適切な理解と表現が困難になります。

・嚥下(えんげ)障害…脳卒中や老化、その他さまざまな疾病や障害などにより、飲食物の咀嚼(そしゃく)や飲み込みが悪くなります。

⑤診断

　認知症の臨床症状とCTスキャン・MRI・MRA（核磁気血管撮影）などによる脳梗塞巣・脳出血巣の病変の存在から診断します。

⑥治療方法

　片麻痺に伴う障害（歩行障害・嚥下障害等）や言語障害に対して、各種リハビリテーションが行われることもあります。また、脳梗塞や脳出血再発予防の目的で、脳血流改善剤や脳代謝賦活(ふかつ)剤、血小板凝固阻止剤等が使用されます。

　以上、アルツハイマー型認知症と脳血管性認知症の違いを表2-4にまとめましたので、参考にしてください。

▶脳代謝賦活剤
脳の機能、特に思考能力の改善を目的に使用する薬剤です。

表2-4 アルツハイマー型認知症と脳血管性認知症の違い

	アルツハイマー型認知症	脳血管性認知症
年齢	75歳以上に多い	60歳代からみられる
性別	女性に多い	男性に多い
経過	ゆっくり単調に進む	一進一退を繰り返しながら段階的に進む
病識	ほとんどない	初期にはある
神経症状	初期には少ない	手足の麻痺やしびれを訴えることが多い
持病との関係	持病との関係は少ない	高血圧などの持病をもつことが多い
特徴的な傾向	落ち着きがない	精神不安定になることが多い
認知症の性質	全体的な能力の低下	部分的な能力の低下（まだら認知症）
人格	変わることが多い	ある程度保たれる

（出典：長寿社会開発センター『介護職員基礎研修テキスト第4巻　認知症の理解と対応』を基に作成）

3 レビー小体型認知症

①特徴

アルツハイマー型認知症、脳血管性認知症に次いで多いとされる認知症です。アルツハイマー型認知症と合併している場合もあります。

②原因

脳細胞に、レビー小体という異常な蓄積物が発生することで発症します。

③発病しやすい年齢（好発年齢）

70歳前後に発症することが多いですが、若年層でもみられます。

④症状

幻覚・幻視が主症状で、実際には見えないものが見えると周囲に訴え、興奮することがみられます。また、初期か

ら歩行障害などのパーキンソン病の症状がみられます。転倒しやすく、尿失禁も早期からみられます。

〈パーキンソン病の症状の例〉
・固縮…手足の筋肉が硬くなり、動きが悪くなります。手足がスムーズに動かせなくなり、関節を曲げたり伸ばしたりしようとすると、歯車がきしむような抵抗感が断続的に続くことが多くなります。
・無動…動作が遅くなり、動きが鈍くなります。速く歩けない、寝返りを打てないなどの症状が現れます。また、顔の動きが少なくなるため、表情が乏しくなります。
・振戦…手足や身体全体などに起こる震えで、左右どちらかに強いのが特徴です。安静時にみられます。

⑤診断
　認知症の臨床症状とCTスキャン・MRIでレビー小体の存在を確認します。また、脳波検査が有効な診断手段で、脳血流量を画像診断するSPECT（スペクト）(Single Photon Emission Computed Tomography)を使用することもあります。

⑥治療方法
　幻覚の治療に有効であるため、塩酸ドネペジル等の薬物が使用されています。また、同じ目的で、抗精神病薬が使用されることもあります。

4 前頭側頭型認知症

①特徴
　若年性認知症（65歳以前に発症する認知症）の1つで、

▶SPECT
日本語では、単光子放射線コンピューター断層撮影と呼ばれます。わずかに放射線を出す放射性同位元素（ラジオアイソトープ）を休内に入れ、その分布状況を放射量から読み取り、画像化する機器です。CTやMRIは形や大きさを調べる検査ですが、SPECTは主に臓器の働きを調べます。

症状が特徴的なことから、近年注目されています。

②原因
　特に、前頭葉と側頭葉の萎縮が進行することで発症します。

③発病しやすい年齢（好発年齢）
　50〜60代の男性に多く発症します。ゆっくり症状が進行することが多く、10年以上の長い経過をたどります。

④症状
　記憶障害はさほど目立ちません。性格変化（暴言・暴力）がみられたり、行動抑制が利かず反社会的行動（万引き等、ルールを逸脱した行為）をとることが特徴です。また、言葉の障害が出現し、日常会話が困難になることもあります。常同行動（同じ行為を繰り返す）や嗜好の変化（今まで好きでなかった甘い物が好きになるなど）もみられます。

⑤診断
　認知症の臨床症状とCTスキャン・MRIなどで、脳の萎縮を確認します。

⑥治療方法
　有効な治療法がなく、対症療法が行われます。介護施設での集団生活になじめず退所するほかなくなったり、精神症状が目立ち精神病院での治療も必要になる場合があります。

5 クロイツフェルト・ヤコブ病による認知症

①特徴
　牛海綿状脳症と同じ病原体により引き起こされます。神経難病の1つで、発症から1年以内に寝たきりとなり、その後死亡に至るといわれています。

②原因
　脳にプリオンと呼ばれる異常な蛋白質が蓄積し、脳神経細胞の機能が障害されて発症します。

③発病しやすい年齢（好発年齢）
　50〜60歳代にみられ、男性より女性のほうがやや多くなっています。

④症状
　初発症状として、抑うつ、不安などの精神症状が現れます。進行すると、認知障害、運動失調、筋固縮、運動麻痺、興奮、幻覚などがみられます。

⑤診断
　簡便なスクリーニングなどが用いられますが、現在のところ確立していません。一般的には、プリオン蛋白遺伝子の検索を行います。

⑥治療方法
　治療方法はまだ確立していません。主に対症療法が行われます。

▶牛海綿状脳症
狂牛病の通称で知られています。感染性の中枢神経疾患で、発症後は運動機能の低下や異常行動がみられ、死に至ります。

6 慢性硬膜下血腫による認知症

①特徴
　転倒等で頭部を打撲した1～2か月後に認知症の症状が出現します。

②原因
　転倒時、硬膜の内側に出血が起こり、止血せずにじわじわと広がります。それが硬膜の下にたまって血液の塊を形成し、やがては脳を圧迫して神経細胞に障害をきたすようになります。ゆっくりと進行していくので本人も周囲の人も気がつかないことが多く、そのうち、もの忘れや判断ミス等が現れるようになります。

▶硬膜
脳は、硬膜、クモ膜、軟膜の3枚で包まれています。一番外側が硬膜です。

③発病しやすい年齢（好発年齢）
　60歳以上の男性に多く、高齢（65歳以上）になるにつれ発症率が高くなっています。

④症状
　負傷から発症（血腫増大）まで時間差があります。性格変化、うつ症状などの精神症状が現れます。

⑤診断
　頭部CT、MRI、脳血管撮影ですぐに発見できます。

⑥治療方法
　硬膜下血腫は早期発見・早期診断・早期治療がしやすく、手術で血腫を除去すれば、症状は軽快します。症状が軽い場合は経過をみることもあります。

3 認知症と間違われやすい状態

各種疾患のなかには、認知症とよく似た症状が出るものもあります。本節では、認知症と類似する症状や疾患のうち、主なものを紹介します。

1 せん妄

①特徴
　意識障害であり、意識がもうろうとなる状態です。ぼんやりと眠そうで夢見るような状態から、突然、興奮、攻撃、怒り、恐れなどに変化することがあります。

②原因
　せん妄が起きるには、必ず原因があります。たとえば、脳血流障害、脱水、感染症、栄養障害などです。

③症状
　意識がもうろうとなると、物や人物を正しく認識できず、間違いが多くなったりします。また、興奮して暴言・暴力が出現することがあります。これらの症状が、認知症と間違えやすいといわれるゆえんです。

④治療方法
　原因を明らかにし、適切な医療対応が行われることで改善します。

▶せん妄
環境の変化などで一時的に混乱し、興奮状態や人の区別がつかなくなります。また、ないものが見えたり、聞こえたりします。

2 仮性認知症

①特徴
　気持ちがふさぎこんだり、気力が低下します。

②原因
　高齢者がうつ病にかかると起こりやすい症状です。うつ病が慢性化すると、認知症との区別がつきにくくなります。

③症状
　うつ病の主症状は、気持ちがふさぎこみ、気力が低下し、口数が少なくなる**抑うつ気分**といわれるものです。高齢者がうつ病になると、動作が緩慢になり、あらゆる事柄に対して「わからない」「忘れた」という返答が多くなります。これらの状態が認知症とよく似ているので、仮性認知症と呼ばれます。

④診断
　CT、MRI、SPECTなどで鑑別診断します。血液検査や心電図などの検査もします。そのほか、麻痺の有無や筋肉の硬さなどの検査もします。

⑤治療方法
　元の疾患であるうつ病の治療が必要です。抗うつ剤（第7章第1節参照）で症状の改善が期待されます。なお、うつ病は、自殺につながることがあるので、早めの受診と治療が大切です。

確認問題

問1

脳血管性認知症について、正しい記述の数を選びなさい。

A 認知症を原因疾患別にみると、脳血管性認知症が一番多い。
B 脳梗塞や脳出血により、広範囲に脳組織が障害を受けることで発症する。
C 70歳以上の女性に多く発症する。
D 症状として記銘力障害が目立つ。
E 全体的な記憶障害ではなく、一部の記憶が保たれることから「まだら認知症」とも呼ばれる。

① 5つ　② 4つ　③ 3つ　④ 2つ　⑤ 1つ

問2

仮性認知症についての記述のうち、正しい組み合わせを1つ選びなさい。

A 「うつ病」にかかると起こりやすい症状である。
B 気持ちがふさぎこみ、気力が低下し口数が多くなる。
C あらゆる事柄に対して「わからない」「忘れた」という返答が多い。
D 慢性化すると、本物の認知症と区別しやすくなる。
E 活動的になり、興奮することが多くなる。

① A・B　② A・C　③ B・C　④ B・D　⑤ C・D

問3
アルツハイマー型認知症について、正しい記述を2つ選びなさい。

A　病状の経過に伴い症状が変化する。
B　症状の進行は急激であり2～3年で寝たきりとなる。
C　異常な蛋白質からなる「老人斑」が脳に出現する。
D　女性より男性の発症が多い傾向がある。
E　脳の部分的な萎縮が起こる。

問4
認知症を起こす病気の説明について、正しい記述を3つ選びなさい。

A　クロイツフェルト・ヤコブ病は、発症から7～8年以内に寝たきりとなり、死亡に至るといわれている。
B　クロイツフェルト・ヤコブ病は、プリオンと呼ばれる異常な蛋白質のウイルス感染によって脳内に入り、発症する。
C　慢性硬膜下血腫は、血腫が脳を圧迫することにより認知症の症状が出現する。
D　慢性硬膜下血腫は、転倒等で頭部を打撲した1年後に認知症の症状が出現する。
E　慢性硬膜下血腫は、手術で血腫を除去すれば症状は軽快する。

問 5
前頭側頭型認知症について、正しい記述を3つ選びなさい。

A　前頭葉と後頭葉の萎縮が特に進行する。
B　性格変化がみられ行動抑制が利かず、反社会的行動をとる。
C　急速に進行することが多い。
D　記憶障害はあまりめだたない。
E　認知症の臨床症状と、CTスキャン・MRIなどで脳萎縮を確認する。

問 6
認知症のもの忘れについて、正しい記述を2つ選びなさい。

A　もの忘れの自覚がある。
B　もの忘れは進行しない。
C　脳に器質的障害がある。
D　生活障害が起きる。
E　日常生活に支障はない。

問7
認知症について、正しい記述を3つ選びなさい。

A アルツハイマー型認知症の症状の経過は、ゆっくり単調に進む。
B アルツハイマー型認知症は、脳血管性認知症に比べて人格障害は少ないとされる。
C 塩酸ドネペジルはアルツハイマー型認知症を劇的に改善する唯一の薬である。
D アルツハイマー型認知症は知的機能の低下が全般に及ぶが、脳血管性認知症では一部は保たれることは多いため、介護のアプローチでは異なった対応が必要になる。
E 認知症にみられるもの忘れは、体験自体をそっくり忘れてしまうことが特徴である。

解答と解説

問1

解答 → ③ 3つ（B・D・E）

解説
- A アルツハイマー型認知症が一番多い。
- B 脳血管に大小さまざまの梗塞（血管のつまり）が多発したことによる認知症を多発梗塞性認知症と呼ぶ。
- C 60歳以降の男性に多く発症する。
- D 記憶障害が主症状で、特に記銘力障害が目立つ。
- E 感情が変化しやすく、些細なことで怒り出したり、涙を流したり、感情の波が大きくなる。

問2

解答 → ② A・C

解説
- A 仮性認知症の代表的な疾病は、うつ病にみられる気分障害やせん妄、ヒステリーなどである。
- B 気持ちがふさぎこみ、気力が低下し口数が少なくなる。
- C 会話や行動にまとまりがなくなり、それぞれが完結しない状態になる。
- D 慢性化すると、本物の認知症と区別しにくくなる。
- E 動作が緩慢であり、憂鬱気分となる。

問3

解答 → A・C

解説
- A 症状が変化するため、発症時期が特定しにくい。
- B 症状は徐々に進行し、7～8年で寝たきりとなる。
- C 老人斑が脳全体に蓄積し、正常な神経細胞を破壊する。
- D 男性より女性の発症が多い傾向がある。
- E 脳の全体的な萎縮が起こる。

問4

解答 → B・C・E

解説
- A クロイツフェルト・ヤコブ病は、発症から1年以内に寝たきりとなり、死亡に至るといわれている。
- B 牛海綿状脳症（狂牛病）と同じ病原体により引き起こされる。めまい、立ちくらみ、うまく歩けないなどの症状から始まることが多い。
- C 止血せずにじわじわと出血が広がり、血腫となり脳を圧迫する。
- D 慢性硬膜下血腫は、転倒等で頭部を打撲した1〜2か月後に認知症症状が出現する。
- E 頭蓋骨に穴を開け、溜まった血液を取り除く。

問5

解答 → B・D・E

解説
- A 前頭葉と側頭葉の萎縮が特に進行する。
- B 万引きなどルールを逸脱した行為がみられる。
- C ゆっくりと進行することが多い。
- D 初期のころは記憶障害は目立たず、同じ行動を繰り返すことなどがある。
- E 有効な治療法がなく、対症療法が行われる。

問6

解答 → C・D

解説
- A もの忘れの自覚がない。
- B もの忘れは進行する。
- C 組織や細胞（認知症の場合は脳）が変形・変性または破壊される。
- D 日常生活動作に支障が出ることから、生活に影響する。
- E 日常生活に支障が出る。

問7
解答 → A・D・E
解説 A 症状の進行は比較的緩慢で、発症から7～8年で寝たきりに近い状態になるといわれる。
B 脳血管性認知症は、アルツハイマー型認知症に比べて人格障害は少ない。
C 塩酸ドネペジルはアルツハイマー型認知症の進行抑制を目的として使用される薬である。また、その他の薬も用いられている。
D 脳血管性認知症の初期のころは、知的機能ははっきりしているため、不用意な言動をすると自信を失くし気力低下につながる。
E 健康な人は体験の一部を忘れるが、認知症の人は体験自体を忘れてしまう。

第3章

認知症の心理的理解

1 認知症の原因と症状

認知症という疾患が、利用者（認知症の人）の心理にどのような影響を与え、どのような行動を引き起こすのか考えてみましょう。

1 認知症の原因

認知症の初期段階では、自分がもの忘れをしたことや、昨日はできたことが今日はできない不安や焦りを自覚しているといわれています。認知機能障害（＝認知症）という疾患をもつと、中核症状が現れます。そこに、利用者の気持ちを不安・不快にするできごとや身体不調が起こると、周辺症状として、行動・心理症状（BPSD；Behavioral and Psychological Symptoms of Dementia）が起こります（表3－1参照）。

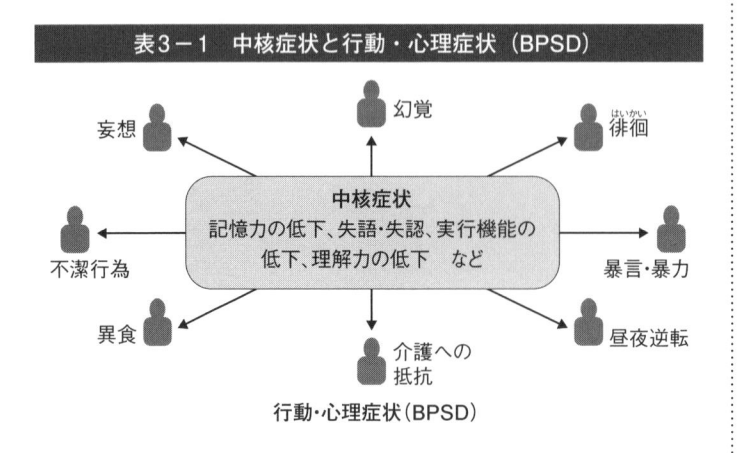

▶認知症への誤解
これまで日本での認知症は、「本人は何もわからなくなっていく。大変であるのは周囲で、周囲が介護をしてあげなければならない」と考えられていました（第4章第1節参照）。

表3－1 中核症状と行動・心理症状（BPSD）

中核症状：記憶力の低下、失語・失認、実行機能の低下、理解力の低下　など

行動・心理症状（BPSD）：妄想、幻覚、徘徊、不潔行為、異食、介護への抵抗、暴言・暴力、昼夜逆転

2 認知症の中核症状と行動・心理症状

　認知症は、脳に病変が生じることが原因で、人間のもつ知的機能が低下し、自立した生活が困難になる疾患です。この知的機能の低下を中核症状と呼んでいます。具体的な症状は、記憶力の低下、失語・失認、実行機能の低下、理解力の低下などで、認知症の発症により、程度の差こそあれ、すべての人に起こる症状です。

　行動・心理症状は、中核症状に不安感、不快感、身体不調、ストレスなどが重なった場合に起こってくる症状（周辺症状）です。具体的な症状は、徘徊、暴言・暴力、幻覚などで、かつて、介護者が「問題行動・迷惑行為」と呼んでいたものです。介護者にとっては問題で迷惑な行動であっても、本人にとっては意味があって行っている行動であり、**言語にならないメッセージを伝える行動**であると認識が変わり、名称も行動・心理症状と変わりました。

　中核症状の進行を介護の力で軽減することはできません。しかし、利用者に心理的負担を与えず介護することで、**行動・心理症状の出現は抑えられる**と考えられています。

2 認知症高齢者の心理

第1節で述べたように、行動・心理症状（BPSD）は、不安感、不快感、身体不調、ストレスなどがきっかけとなって起こってきます。

1 不安感

理解できない・わからないということは不安になるものです。誰にでも、道に迷い、なかなか目的地にたどりつかないという経験はあるのではないでしょうか。

私たちは、誰も知っている人がいない、今いる場所が確認できないなどの状況に直面すると、通りがかりの人や警察に聞くなどの判断ができます。しかし、認知症の人は、どうしたらよいのか判断できず不安な状態になるのです。

また、認知症の人は、断片的に記憶が欠如するために、時間の流れがつかみにくくなっていきます。自分の行動についても前後のつながりがみえなくなり、「なぜ、ここにいるのだろう」「なぜ、ここに来たのだろう」と、不安な気持ちを抱えながら生活することになります。

2 不快感

私たちも、日常生活のなかで、顔は思い浮かぶのに名前が思い出せないということがありますが、何かのヒントで思い出すことができます。しかし、認知症の人は思い出すことが困難で、イライラ感が不快な気持ちとなり、しだいにストレス（ 4 参照）を抱えて生活していくようになると

いわれています。

3 身体不調

便秘、食欲不振、発熱、持病の再発などの身体不調が原因で、周辺症状を起こすことがあります。身体不調は、不眠症などにより引き起こされます。

4 ストレス

環境の変化や周囲との人間関係などでストレスが発生することがあります。ストレスとは、**外部から受ける刺激**のことです。

たとえば、ボールを指で押すとくぼみますが、このくぼみやくぼみを起こす力がストレスです。ストレス状態が悪化すると、行動・心理症状が起きやすくなります。

5 混乱

認知症が進むと、自分の周囲で起こっていることを正確に判断することが難しくなります。この判断力の低下が認知症の人を混乱させる1つの原因になっているといわれています。認知症の人は、もの忘れや見当識、判断力、実行機能の障害等が起こるために、直前のことも忘れ、時間や場所がわからなくなるなどの状態になります。

進行すると、物事を論理的に考えたり、順序立てて生活上の作業を行ったりすることが難しくなります。日常生活

に必要な買物、調理、掃除、洗濯等の手順など、これまでできていたことがわからなくなり混乱します。高度な知的機能を必要とする実行機能の低下、判断力の低下、見当識障害等の中核症状は、認知症の人を混乱させていくことになり、行動にも影響を与えていきます。

6 被害感

　認知症の人は、記憶の欠落が原因で勘違いをすることがあります。物が見当たらないことは、私たちにも、日常起こりうることですが、盗（と）られたと誰かを疑うことは少ないでしょう。たとえば、先ほどまでかけていた眼鏡をはずして無意識に置いたばかりに、次に必要とするとき見当たらないと、「さっきまでかけていたのに」と探します。

　認知症の人は、自分で保管した場所や使っていたことなどの経験自体が完全に抜けてしまっているので、いったん探してみるものの、見つからないと誰かに盗まれたと思うようになります。財布や通帳、保険証等のしまい忘れが多く、そこから誰かに盗まれたという被害妄想に発展していきます。

　なお、泥棒扱いされる人は、認知症の人を介護している身近な人であることが多く、トラブルに発展していくこともよくあります。誰でも、身に覚えのない疑いをかけられるとやりきれない思いになります。

▶被害妄想
被害感が認知症に起こりやすい心理の1つであることから、「物盗られ」被害妄想も起きやすいと考えられています。

7 抑うつ

　抑うつは、脳血管性認知症（第2章第2節参照）に発症しやすいといわれています。認知症の初期段階では、これまでできていた調理、買物などの日常生活ができなくなったことに、本人が気づくことがあります。できなくなったことで失敗を繰り返していくと、周囲から指摘や叱責を受けます。失敗を繰り返していくうち、自発性が乏しくなり、しだいに落ち込んでいくのです。私たちも同じような体験をしたことがあると思います。

　自分の能力低下を自覚しているうえに、さらに、周囲から「また忘れた」と指摘されたり、「ダメじゃない」と責められたりすれば、気持ちが沈んでしまいます（抑うつ状態）。その結果、何をするにも自信がなくなり、**自発性の低下**も起こってくるのです。

3 行動・心理症状（BPSD）の出現原因

行動・心理症状（BPSD）が出現する原因には、認知症特有の心理状態や体調不良だけではなく、物的・人的環境などもあげられます。

1 物的・人的環境によるもの

なじみのない環境や居心地の悪い環境など、物的・人的環境が行動・心理症状を誘発することがあります。

在宅生活をしていた認知症の人が施設入所をすると、入所後しばらくは徘徊（はいかい）等の行動が頻繁になったり、暴力行為が増えたりすることがあります。これは、見知らぬ環境に不安ととまどいが大きくなり、どうしてよいかわからないと「SOS」を発信している状態だと想像できます。また、介護者が本人の気持ちを理解せず、本人が望まない対応をした場合、興奮状態や暴言がみられることがあります。これは、介護者へ「NO」を伝える手段だと考えられます。

2 介護者との関係性によるもの

ケアする介護者の心理状態も、本人の心理に影響を与えます（第5章第3節で詳しく述べます）。介護者が負担感・不快感などをもちながら本人に対応していくと、認知症であったとしても感情は残っているため、不快な気持ちからストレスとなり、行動・心理症状を誘発することになります。

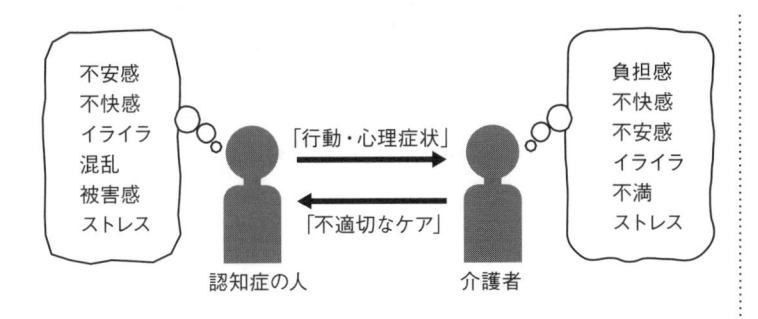

```
　　認知症の人　　　　　　介護者
不安感　　　　　　　　　　　　　　負担感
不快感　　　「行動・心理症状」→　不快感
イライラ　　　　　　　　　　　　　不安感
混乱　　　　←「不適切なケア」　　イライラ
被害感　　　　　　　　　　　　　　不満
ストレス　　　　　　　　　　　　　ストレス
```

　行動・心理症状への対応として、認知症の人の状態を把握し、個々に適切な対応を考えることは、もちろん必要です。それと同時に、介護者が穏やかな気持ちで本人を受け止め、喜びをもってケアを提供することも大切なのです。そのためには、介護者のストレスを軽減するような、**介護者の心のケア**が求められます。

3 認知症高齢者の状態変化

　認知症の人に対し、適切な環境と適切なケアが提供されている場合、認知症が改善したようにみえることがあります。認知症の人から暴言や暴力がなくなり、笑顔がみられ、穏やかな日常生活を送るようになります。
　しかし、これは、中核症状である**知的機能の低下が改善したわけではありません**。適切な環境とケアによって、認知症の人の心理的ストレスが軽減し、**行動・心理症状が出現していない**ということなのです。
　行動・心理症状を客観的に捉え、訴えに対してきちんと向き合い、時間をかけてゆっくり対応していくことで、落ち着いた生活を取り戻すことができるようになります。

▶中核症状の抑制
現在の医学の力では、中核症状の病態そのものの進行を抑制したり、改善することはできません。

確認問題

問1
認知症の中核症状に該当するもののうち、正しい組み合わせを1つ選びなさい。

A 記憶障害
B 徘徊
C 判断力低下
D 暴力行為
E 幻覚

① A・B　② A・C　③ A・D　④ B・C　⑤ D・E

問2
認知症高齢者の特徴について、正しい記述を3つ選びなさい。

A 認知症初期にはうつ状態が起こることがある。
B 体験の一部を忘れてしまうことは「健忘」であり、体験のすべてを忘れてしまうことは「認知症」である。
C 知的機能の低下が起こり、認知症高齢者には一般に共通して中核症状と行動・心理症状（BPSD）がみられる。
D 行動・心理症状（BPSD）は適切なケアや対応では改善できない。
E 認知症高齢者に対して適切なケアが提供されると、ケアが刺激となって一時的に認知機能が改善し、認知症そのものが改善したようにみえることがある。

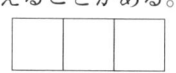

問 3
認知症高齢者の心理を表現する語句とその説明が適切なものを2つ選びなさい。

A 混乱………思い出すまでイライラしてストレスとなる。
B 不安………「理解できない・わからない」ために感じる。
C 被害感……周囲で起こっていることが正確に判断することが難しくなる。
D 抑うつ……自信喪失・自発性低下のことで、認知症の初期に起こる。
E 不快………記憶の欠落が原因で勘違いをする。

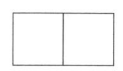

問 4
認知症の症状と認知症のケアについて、正しい記述を3つ選びなさい。

A 抑うつは、認知症の中期に現れ、自分の行動に失敗がめだつようになったことを自覚している人に起こる。
B 行動・心理症状（BPSD）には、徘徊、暴力、幻覚等がある。
C 認知症の人は被害感が強くなる傾向にあり、大事なものが見当たらないと「誰かが盗んだ」と思い込んでしまう。
D 適切なケアを提供することで、行動・心理症状（BPSD）を抑制することができ、認知症の人の状態が変化する。
E ケアは認知症の人にとっては必要であるが、介護者へのケアは必要ない。

問5
認知症の症状と介護について、正しい記述を3つ選びなさい。

A 認知症の人の心理のうち、抑うつは自分の周囲で起こっていることを正確に判断することが難しくなることで起こる。
B 行動・心理症状（BPSD）への対応を考えるとき、介護者が穏やかな気持ちで認知症の人を受け止め、喜びをもってケアを提供することが大切である。
C 行動・心理症状（BPSD）の出現は、認知症特有の心理状態や体調不良だけが原因であるといわれている。
D 認知症の人から暴力・暴言がなくなり、笑顔がみられ、穏やかな日常生活を送っていても、中核症状である知的機能の低下が改善したわけではない。
E 介護者が認知症の人の気持ちを理解せず、望まない対応をした場合、認知症の人に興奮状態や暴言がみられることがある。

第3章　認知症の心理的理解

> 解答と解説

> 問1

解答　→　②　A・C

解説　A　思い出すことができない、新たなことを覚えられないなど記憶に関する障害が出る。
　　　B　行動・心理症状（BPSD）にみられ、あてもなく歩き回る、道に迷うなどが起きる。
　　　C　脳が正常に活動しないと、判断力が低下する。
　　　D　行動・心理症状（BPSD）にみられ、性格変化により、暴言・暴力などが起きることがある。
　　　E　行動・心理症状（BPSD）にみられ、実際にはないものをあるように感じる。

> 問2

解答　→　A・B・E

解説　A　うつ病と認知症とは誤認されやすい。
　　　B　体験全体のもの忘れが起き、もの忘れへの自覚がない。
　　　C　知的機能の低下が起こり、一般に共通して中核症状がみられるが、行動・心理症状（BPSD）は現れないこともある。
　　　D　行動・心理症状（BPSD）は、適切なケアや対応で改善できる。
　　　E　適切なケアを提供することで行動・心理症状（BPSD）の進行を抑制できる。

> 問3

解答　→　B・D

解説　A　思い出すまでイライラしてストレスとなるのは、不快である。
　　　B　日常生活につながりがなくなり断片的な体験の寄せ集めであることから不安を感じる。
　　　C　周囲で起こっていることが正確に判断することが難しくなるのは、混乱である。
　　　D　失敗を責められたり怒られたりすることが増え、やる気が低下する。
　　　E　記憶の欠落が原因で勘違いをするのは、被害感である。

問4

解答 → B・C・D

解説 A 抑うつは、認知症の初期に現れ、自分の行動に失敗が目立つようになったことを自覚している人に起こる。
B そのほか、妄想、異食などがあり、介護者との関係性によっても誘発される。
C 記憶の欠落により、勘違いが起こる。
D なじみのない環境や居心地の悪い環境などからも、行動・心理症状（BPSD）が誘発される。
E 認知症の人にだけではなく、介護者へのケアも必要である。

問5

解答 → B・D・E

解説 A 自分の周囲で起こっていることを正確に判断することが難しくなることで起こるのは、混乱である。
B 介護者の精神状態が認知症の人の心理に影響を与える。
C 行動・心理症状（BPSD）の出現は、認知症特有の心理状態や体調不良だけが原因ではなく、ストレス、不安感、不快感などがきっかけとなっているといわれている。
D 知的機能の低下は改善できないが、行動・心理症状（BPSD）の出現が抑えられる。
E 特定の言葉や人の表情・行動またはケアの仕方など、ささいなことがきっかけで起きることがある。

第4章

認知症ケアの理念と認知症ケア指導管理士の役割

1 認知症ケアの理念

今後、ますます増えると予想される認知症高齢者のケアに当たる介護者にとって、認知症ケアの理念を理解することが重要です。

1 認知症の位置づけ

1963年に老人福祉法が制定され、高齢者は福祉の対象として位置づけられるようになりました。また、認知症に関する小説・手記などから社会が認知症に対して関心を示すようになりました。しかし、一方では、認知症が正しく理解されないために誤解を生み、恥ずべきものと解釈された時代もありました。

認知症ケア指導管理士には、認知症ケアの理念を踏まえたうえで、認知症ケアの基本を習得し、実際の援助で実践していくことが求められています。さらに、他の介護スタッフや家族等へ指導する役割を担うことも求められています。

2 認知症ケアの理念

これまで、多くの指導者たちが、認知症ケアの理念について述べています。以下に主なものを紹介します。

①特性に合わせたケア

認知症ケアの先駆者である室伏君士は、認知症の人の特性に合わせたケア、すなわち、「その老人の心向き（態度）を知り、それに沿って、その老人の生き方を援助していく

▶老人福祉法
老人福祉施設や訪問介護等のサービスを提供するなど、老人の健康の保持と生活の安定のために制定された法律です。1982年に老人保健法が制定（2008年、高齢者の医療の確保に関する法律に改正）され、2000年に介護保険法が制定されたことで、現在はこの2つが適用されない場合に限り、老人福祉法が適用されることになっています。

のがケアである」と提唱しています。

②その人らしさを中心におくケア
　トム・キットウッドは**パーソンセンタードケア（PCC；person centered care）**を提唱しました。これは、「その人らしさを中心におくケアを実践することが、人の尊厳を支えるケアにつながっていく」というものです。
　認知症ケアはまさに「人」中心のケアであり、生活する個人を対象にしたケアです。つまり、病気であっても、**人と生活に焦点を当てたケア**が必要であると述べています。介護者の都合でケアするのではなく、本人を中心として選択するケアです。

③その人らしさを大切にするケア
　改訂長谷川式簡易知能評価（HDS-R）の開発者である長谷川和夫は、パーソンセンタードケアの考え方を受けて、「高齢者のもつ物語を尊重し、内的体験を聴き、生活歴を聴き取り、その人らしさを大切にしてあげること」と述べています。認知症の人は、不安を抱いていることが多く、介護者はこの不安を取り除いてあげるケアを心がけることが大切です（スケールの概要は第5章第5節参照）。
　また、長谷川和夫は、**「なぐさめ（安定性）」「愛着（絆^{きずな}）」「帰属意識（仲間に入りたい）」「たずさわること（役割意識）」「その人らしさ（物語性）」**の5つのニーズを満たしてあげることが重要だと述べています。

④生活面でのケア
　一番ヶ瀬康子は、認知症ケアを「援助を必要としている人への生活面での世話つまり生活ケアである」と述べています。

❷ 認知症ケア指導管理士の役割

認知症ケアの理念や日常生活支援の基本的視点を踏まえ、ケアを提供することが求められます。これは、質の高い専門的なサービスを提供するうえで必要なことであり、認知症ケア指導管理士に求められていることです。

1 認知症ケアのキーワード

　第1節で述べた指導者たちの言葉をまとめると、認知症ケアの理念は、①尊厳の保持、②その人らしさ（個性）、③認知症の人を中心とした生活（生活主体）といえます。また、「家族が自らの力で問題解決できるよう側面的な支援をすること」「家族の問題解決能力を高めること」という**エンパワメント**（第9章第2節参照）の理念も加えることができます。認知症の人の尊厳の保持と、認知症の人中心の生活の継続を支援していくことが求められます。

　記憶障害が進行したとしても、感情やプライドは残っています。不適切な対応によってはプライドが傷つき喪失感や怒りなどが生まれ、安定した生活は望めません。したがって、日常生活の支援にあたっては、一人ひとりの生活に着目し、認知症の人に残された能力を大切にしていくことが重要です。

2 認知症ケアの提供

①アドボケイトの宣言

　アドボケイトの宣言とは、介護者は、利用者（認知症高齢者やその家族）の「知る権利」「自己決定権」「プライバ

▶アドボケイト
自己の権利を主張することが困難な人の味方となって、権利や利益を守るために活動する人を意味します。

シーが保護される権利」「人格が保障される権利」「財産を守る権利」を保障し擁護することを宣言したものです。介護者は、「個人情報は口外せず**（守秘義務）**、あなたの権利は守ります**（権利擁護）**」と、口頭と文書で示します。

人は誰でも、自分のプライベートな生活空間に他人が入ってくることに対し、抵抗感や負担感をもつものです。介護サービスを提供するという目的の専門職と利用者との関係であっても、それは同じことです。「家の実情が外部に漏れるのではないか」「今までの生活リズムが崩れるのではないか」という不安が生まれることもあります。そこで、アドボケイトの宣言をし、介護者の立場を明確にすることで、利用者に安心と信頼を保障します。

②インフォームドコンセント（informed consent）

ケア提供の前に、どのような援助行為も、利用者にわかりやすい言葉で説明し、本人から同意を得ることです。本人からの同意が不可能であり、やむを得ない場合は、家族や後見人の同意を得ます。

説明内容のなかで重要なのは、ケアの有用性に加えて、ケアに伴うリスクも伝えておくことです。ケア終了後、「こんなはずではなかった」といった声を減らすと同時に、介護者への信頼感や安心感を得ることにつながります。

③生活能力の客観的評価

認知症の人の認知機能、行動、日常生活動作（ADL）の客観的評価から、できることとできないことを明らかにします。そして、自らの力で、これまでと変わらない生活が安心して送れるよう支援します。支援にあたり、適切な介護計画を立て実践し、評価していきます。

「自分でしていること」「自分でできること」「自分でで

きないこと」「手伝ってもらえば自分でできること」などを分析し、本人の持っている能力を最大限に引き出していきます。分析した情報から本人の視点に立ち、人格を尊重し、その人らしさを支援していきます。

　もう１つ忘れてならないのは、**自立支援**です。自立には、それぞれの解釈があると思いますが、認知症の人も、私たちと何ら変わりありません。特に、認知症の人には、言葉を選んで働きかけていくことが大切です。

　これらを踏まえたうえで介護計画を立案し、実践していくことが求められます。

④行動・心理症状（BPSD）への対応

　行動・心理症状（第３章第１節参照）発生の要因を検討し、認知症の人の不安をやわらげるような環境作りをし、対応方法を実践します。また、薬物療法（第７章参照）等が効果的に行われるよう、医療従事者との連携も密にします。

　行動・心理症状の現れ方は、個人差があります。すべての症状が認知症の人に現れるわけではありません。適切な対応によって落ち着く人もいれば、適切に対応したつもりでも効果がないという人もいます。

　行動・心理症状の対応の第一選択は非薬物療法（第８章参照）といわれていますが、薬物療法を選択することもあります。また、両方を併用するということもあります。非薬物療法や薬物療法も大切ですが、いずれにしても、まずは、行動・心理症状の裏に隠された原因を知ることが最も重要といえます。

⑤介護環境の調整

　私たちを取り巻く生活環境には、「物理的環境（居住環境）」「人的環境」「地域社会環境」の３つがあります。こ

▶**医療従事者**
医学に基づいて診断や治療などを行う専門職の人をいいます。医療者とも呼ばれ、医師、薬剤師、看護師、理学療法士、作業療法士などの職種があります。

れらの生活環境は、「居場所」「人」「地域社会」と密接な関係があり、それぞれが相互的に作用し合っているのです。

特に、認知症の人の生活環境は、障害が起きやすいため、誰かのサポートが必要になってきます。そのためには、家族や知人、友人、近隣の人、他のサービス提供機関等と必要な情報や連携が欠かせません。認知症の人が安心して住みなれた地域で生活していくには、このような**環境調整**や**環境による生活支援**の視点からも考えることが大切です。

⑥家族介護者の健康管理と心理的サポート

24時間365日介護する人は、時間的拘束や健康問題から、ストレスがひどくなり、認知症の人への虐待へと発展することもありえます。これらを未然に防ぐためには、介護者の否定的側面だけに目を向けるのではなく、肯定的側面にも目を向けてサポートしていくことが大切です。特に、傾聴、共感、受容は欠かせません。

家族介護者の介護能力（知識、体力、健康状態、気持ち、経済状態など）を評価して介護計画を作成し、実践します。

⑦社会資源の活用

家族介護者の負担を軽減するためには、地域を基盤としたサポート体制を活用することも必要です。これまで培ってきた認知症の人の人間関係や、環境、情報を活かし、その人らしい生活を支援してあげることが重要です。

代表的なものでは、**フォーマルサービス**である地域包括支援センターや社会福祉協議会、サービス事業所等があります。**インフォーマルサービス**では、友人、知人、隣人、ボランティア等があげられます。これらを有効に利用して、安心して地域で生活できるように支援していきます。

▶介護者のストレス

認知症の人と同居の介護者は、女性が約7割であり、特に、本人の妻や息子の妻が多いようです。その介護者には、「自由が束縛される」「介護の方法がわからない」「いつまで続くのか将来が不安」といった悩みがあります。

▶認知症ケアにおける社会資源

認知症の人とその家族へのサポート機能を果たす「人」「物(物資・設備)」「資金」「技能」「知識」を総称して、社会資源と呼びます。社会資源については、第10章で詳しく述べます。

確認問題

問1
認知症ケア指導管理士に求められる役割について、正しいものを3つ選びなさい。

A 技術的な支援・介助
B インフォームドコンセント
C 中核症状への対応
D アドボケイトの宣言
E BPSDへの対応

問2
認知症ケアの理念についての記述のうち、正しい組み合わせを1つ選びなさい。

A 一番ヶ瀬康子は、認知症ケアを「援助を必要としている人への環境面での世話つまり環境ケアである」と述べている。
B パーソンセンタードケアとして、その人らしさを中心に置くケアと、認知症の人の力を見きわめることが大切である。
C 疾病や症状を対象にしたアプローチではなく、生活する個人を対象にしたアプローチを行う。
D パーソンセンタードケアとして、介護側の選択で行うケアではなく、利用者中心として行うケアを行う。
E 長谷川和夫は、認知症の人の残存機能を十分発揮できるよう、介護者はすべてを支援することを唱えている。

① A・B ② A・C ③ B・D ④ C・D ⑤ D・E

問3
認知症ケアについての記述のうち、正しい組み合わせを1つ選びなさい。

A 以前は「とにかく介護が大変だ」など心情的なことが多く語られ、認知症への理解は得られていなかった。
B 精神科医の室伏君士は「その老人の心向（態度）よりもケアの基本を習得すること」が大事であるとしている。
C トム－キットウッドは「パーソンセンタードケア」を提唱した。
D その人らしさを中心に置くケアを実践することは、人の尊厳を支えるケアにはつながらない。
E できる力があることを認められることは喜びではあるが、プレッシャーになるため生活意欲の向上にはつながらない。

① A・B　② A・C　③ B・D　④ C・D　⑤ D・E

問4
認知症ケアについての記述のうち、正しい組み合わせを1つ選びなさい。

A 認知症ケアの理念のキーワードとして、「尊厳の保持」「生活主体」「アドボケイト」「自立支援」があげられる。
B 認知症の人は、知的機能の低下はあるが、日常生活や社会生活において混乱は起きない。
C 認知症高齢者のケアにあたる介護者にとって、認知症ケアの理念を理解することは重要である。
D 認知症ケアの基本を習得するより、実際の援助を実践していくことが求められる。
E 認知症をもった人が、自立した生活を送ることができるように生活を支えることが、認知症ケアの目的である。

① A・B　② A・C　③ B・C　④ C・E　⑤ D・E

解答と解説

問1

解答 → B・D・E

解説
- A 支援・介助そのものより、介護の環境の調整が求められる。
- B いかなる援助行為であっても、利用者・家族にわかりやすい言葉で説明し、本人（または家族・後見人）の同意を得る。
- C 中核症状への対応より、症状に応じた社会資源の活用を考えることが求められる。
- D 利用者の「知る権利」「自己決定の権利」「プライバシーが保護される権利」「人格が保障される権利」「財産を守る権利」を保障し擁護することを口頭と文書で示す。
- E 適切な環境と適切なケア、心理的ストレスの軽減、介護者が穏やかな気持ちで受け止めることなどがある。

問2

解答 → ④ C・D

解説
- A 「生活面での世話つまり生活ケアである」と述べている。
- B その人らしさを中心におくケアと、尊厳を支えるケアが大切である。
- C 一人ひとりが培った生活リズムや生活様式があるため、それらを十分把握したうえでケアをしていく。
- D 利用者の思いに沿ったケアを行い、自己選択できるように支えていく。
- E すべてを支援するのではなく、まず、認知症の人の不安を取り除くようなケアを心がけることを唱えている。

第4章　認知症ケアの理念と認知症ケア指導管理士の役割

問3

解答 → ② A・C

解説
- A 制度の創設や認知症の研究などで社会に認識されるようになり、介護現場でも理解を得られるようになった。
- B 室伏君士は「その老人の心向き（態度）を知り、それに沿ってその老人の生き方を援助すること」が大事であるとしている。
- C 疾患や病状のケアではなく、生活する利用者を中心とし、その人らしさと人格を尊重するケアである。
- D その人らしさを中心に置くケアを実践することは、人の尊厳を支えるケアにつながる。
- E できる力を認められることで、意欲がわき自立につながる。

問4

解答 → ④ C・E

解説
- A 認知症ケアの理念のキーワードとして、「尊厳の保持」「生活主体」のほか、「その人らしさ（個性）」と「エンパワメント」があげられる。
- B 知的機能の低下のほか、日常生活や社会生活において混乱が起きやすい。
- C 認知症の人の生活を継続するためにどのように関わればよいかを知ることは大切である。
- D まず、認知症ケアの基本を習得することが求められる。
- E 自立のために生活の個別性、生活の継続性、生活の地域性などに焦点を当てることが大切である。

第5章

認知症ケアの実践

1 認知症ケアの原則

認知症ケアにおいて原則的に守っていきたいことは、本人が望んでいる日常生活にできるかぎり近づけるよう、自立支援を行うことです。どのような支援を行えばよいかを常に考え、本人に確かめながら実践することが重要です。

1 主体性の尊重・自己決定の尊重

認知症の人が感じている**不自由をアセスメント**（第4節参照）し、不自由を減らす支援を考え実践していきます。そして、**本人が望む生活の実現**を目標とします。症状の進行に伴い意思表示が困難になってくるため、症状が軽度の段階で、本人の願いや終末期の迎え方などについて意思確認しておくことも大切です。すでに意思表示が困難な場合、家族との話し合いで意向を聞き取ることもあります。この場合、本人に不利益をもたらさないよう、総合的かつ客観的に判断することが必要となります。

▶終末期の迎え方
尊厳をもって死を迎えるために、本人の意識がはっきりしているうちに、事前意思（延命措置の希望など）を確認します。

2 継続性の尊重

その人らしい生活（第4章第1節参照）を継続するためには、生活環境や生活リズムを整え、なじみのある環境を維持することが大切です。

▶生活しやすい環境
認知症高齢者は自分の身の安全を守ることが難しくなるので、周囲の人が転倒や転落しやすい場所をチェックし、安全に暮らせるように努めます。

3 自由と安全の保障

認知症高齢者の環境を整えるのは、事故を防ぐだけが目

的ではありません。安心・安全・快適・尊厳が守られてこそ、自由と安全が保障されます。

　認知症高齢者にとって、快適で安全な生活しやすい環境を整えることは難しいものです。冷暖房や換気などで生活に必要な環境を整えるには、周囲の人の配慮が大切です。

　さらに、専門的にケアを行う施設や病院等では、認知症高齢者の言動を許容できる環境整備も重要です。

4 権利侵害の排除

　症状が進行し、本人が意思表示できない場合、介護者は介護者本位の支援になっていないか、**本人の思いに沿った支援をしているか**を常に意識することが必要です。自身のケアを振り返り、そのときの本人の表情や行動を思い出し、必要があれば方法を変えていきます。

5 社会的交流とプライバシーの尊重

　認知症の人にとって、人との触れ合いは大切です。そこで、環境の工夫にも配慮が必要です。

　たとえば、なじみのある家具や使い慣れた家具を設置したり、施設入所の場合は自宅で使っていた家具を持ち込むなどの配慮をします。なお、特に施設や病院等では、入浴や排泄(はいせつ)、着脱などのケアをするさいは、本人の羞恥心(しゅうちしん)に配慮するといったプライバシーを確保した環境の工夫も大切なことです。

6 個別的対応

　一人ひとりが今までに培った生活リズムや生活様式をもっています。本人の生活リズム・生活様式を十分知ったうえで、ケアをしていきましょう。

7 心地よい適度な刺激のある生活環境の提供

　高齢になると、一般的に適応力の低下がみられます。特に、認知症高齢者はそれが顕著です。そこで、転居や施設入所のさいは、急激な環境変化を避け、**なじみの関係**を作りながら、徐々に進めていくことが必要です。

　また、快適で安全に生活するためには、住環境に対する工夫や配慮も必要です。室温・湿度、換気・採光の快適さ、そして、移動するさいの安全にも配慮が不可欠となります。

▶なじみの関係
長谷川和夫（第4章第1節参照）が、唱えたものです。認知症の人が施設の環境に慣れるまで、なじみの人が対応したり、なじみのものを配置するなどの工夫も必要となります。

8 残存機能の活用

　できることとできないことをアセスメントし、できることは本人に任せることが大切です。**人の手を借りずに自分でできる**ことは、認知症の人にとって大きな自信になります。できる力があることを認められること、できたことをほめられることは喜びであり、生活意欲の向上につながっていきます。

9 尊厳の保持

　記憶障害が進行しても、感情やプライドは残っています。

認知症の人の人格を尊重して、その人らしさに配慮してケアしていくことが大事です。

10 良好な健康状態の保持

認知症の人は、身体の変化に気づきにくく、それを介護者に伝える力も低下しています。そのため、介護者は本人の状態を常に観察し、体調変化を早期に発見し対応していくことが重要であり、事故につながりそうな危険を発見した場合、未然に防ぐよう環境にも配慮するようにします。

さらに、活動性が低下すると、筋力が衰えたり関節が拘縮し、転倒などの事故を起しやすくなります。寝たきりになって、廃用症候群になるおそれもあります。

人は、1日中安静にして過ごすと、筋力が3～5％低下するといわれています。特に、立ったり座ったりするときの筋肉（大殿筋、大腿四頭筋、下腿三頭筋）が弱っていきます。掃除や調理、買物などを行うだけでも筋力低下の予防につながるため、日常生活のなかに積極的に取り入れていくことも大切です。また、健康を維持するために、食事と水分、排泄、運動の適切な量と回数に注意しましょう。

▶廃用症候群
安静状態が長期間続いたために起きる筋萎縮、関節拘縮、起立性低血圧、褥瘡（床ずれ）、感染症などです。

11 服薬上の注意

高齢者は、基礎疾患があり、血圧や心臓の治療薬などを複数服用したり、長期間使用していることがあります。このため、肝臓や腎臓などの働きが弱くなり、薬の作用が強く出すぎたり、思わぬ副作用が出ることもあります。薬を使用する場合は、量と方法に注意する必要があります。

2 認知症の人とのコミュニケーション

認知症ケアを行うために必要なことは、まず、本人とのコミュニケーションです。基本的なコミュニケーションについて考えましょう。

1 コミュニケーションの基本

①コミュニケーションの機能

大きく分けて2つの機能があります。1つ目は、言葉を介して情報のやりとりを行う**情報伝達**の機能です。2つ目は、対人関係を維持したり発展させていく**共同世界の構築**の機能です。

この2つの機能から、コミュニケーションが双方向的なものであり、共同作業であるといえるのです。

②コミュニケーションの方法

2つの方法があります。1つ目は、会話、電話、メール、FAX、手紙など、話し言葉や書き言葉を用いる**言語コミュニケーション**です。2つ目は、視線や表情、声のトーン、距離のとり方、服装などの言葉以外の手段を用いる**非言語コミュニケーション**です。

日常生活での使用比率は、言語によるものが2～3割、非言語によるものが7～8割であるといわれています。

2 コミュニケーションを阻害する要因

コミュニケーションを阻害するものを、**雑音**といいます。

雑音には、物理的雑音、身体的雑音、心理的雑音の3種類があります。これらの妨害要素を軽減し、効果的なコミュニケーションを構築することが必要です。

①物理的雑音
　物理的雑音には、音に関係したものと、音以外のものがあります。
　音に関係した雑音では、大きな音や耳障りな音があります。たとえば、介護者が認知症の人に話しかけるさい、そのような物理的要因があれば、静かな場所に移動して話を始めるなど、できるだけ雑音を排除してコミュニケーションを行うことが望まれます。
　一方、音以外の雑音とは、温度、汚れた空気、採光等の不適切な環境をいいます。

②身体的雑音
　疾病や聴力・言語などの障害があるためコミュニケーションが妨げられている場合、身体的雑音があるといいます。また、義歯や補聴器などを使っているときに、補助器具の不具合によりコミュニケーションが妨げられているような場合も、身体的雑音があることになります。

③心理的雑音
　心理的な防衛機制が働くほか、偏見や誤解に基づく先入観などがあります。
　防衛機制は、適切に機能していなかったり、気づかないまま何回も繰り返している場合に、コミュニケーションを妨げる心理的雑音となりやすいといわれています。

▶防衛機制
不快、欲求不満、葛藤（かっとう）などから、無意識に自分を守ろうとして働くものです。

3 認知症の人とのコミュニケーションの基本

認知症の人とのコミュニケーションでは、言語コミュニケーションによる伝達が困難なことが多く、安心感や信頼感を得るためには、声の調子や、身振り・手振り、身体接触など非言語コミュニケーションが効果的といえます。

認知症の症状の進行によって、コミュニケーションスキルはしだいに低下してきます。表5−1は、軽度認知症・中等度認知症・高度認知症の3つのレベルに分類し、それぞれの一般的なコミュニケーションスキルを示したものです。

▶コミュニケーションのレベル
介護者が、認知症の人の理解レベルに合わせてメッセージを発信していくことが基本です。

表5−1 認知症のレベルとコミュニケーションスキル

レベル		一般的なコミュニケーションスキル
軽度認知症	会話	・会話能力は比較的保持されている。 ・周囲の助けを借りると、すぐに会話の内容を組み立てることができる。
	記憶	・メモを書きとめることができる。→独立した生活ができる。
中等度認知症	会話	・視覚的なことや非言語コミュニケーションには反応できる。 ・(忍耐力や理解力があれば) 言語コミュニケーションができる。
	記憶	・習慣的な行動はできる。 ・長期記憶は残っているが、短期記憶は残っていない。
高度認知症	会話	・非言語で何らかのメッセージを理解したり、発したりできる。 ・体に触れると反応することができる。 ・言語でのコミュニケーションも試みる。 ・伝えることができなくても、理解していることがある。
	記憶	・よく知っている活動は楽しむことができる。

①伝わる環境を作る

雑音を除去し、**落ち着いた穏やかな雰囲気を作る**ことが大事です。補聴器や眼鏡の点検が必要な場合もあります。

伝えたい事柄については、**視覚に訴え**、絵や写真を見せたり、動作で示すと伝わりやすくなります。

また、肩や手に触れるなど**ボディータッチ**も有効です。

▶ボディータッチ
「あなたを大事に思っています」というメッセージが、体のぬくもりとして相手に伝わります。

座って話すときは、相手の真正面ではなく、少し斜め前に座ることで安心感を与え、体にも無理なく触れられます。

② 相手のペースに合わせる

相手が自分のペースで自由に自己表現できるよう、介護者が柔軟に合わせていくようにします。

話の途中で席を立つなどして、相手の話を不用意に打ち切ると、認知症の人は、言葉を思い出せないなど混乱します。「私はあなたの話をしっかり聴いています」という相手を尊重した姿勢で話すことが大切です。

③ 言葉や文章を選ぶ

短い文を使う、簡単な表現にする、具体的な内容にするといった配慮が必要です。簡潔に、語尾まではっきり発音します。難聴のある場合、耳元でやや低い声ではっきり話すようにします。

また、「それを取ってください」ではなく、たとえば、「新聞を取ってください」と伝えます。「あれ・これ・それ・どれ」という指示語は、認知症の人には理解しにくいようです。指示語を使わずに、**固有名詞**を使うようにします。

④ 相手の自尊心を傷つけない

認知症の人に対して、禁止や否定は禁物です。特に、軽度（初期）の認知症の人は、自身の能力低下を自覚し自信を失っていることがあります。

相手の話を、さまざまな観点から捉えるようにします。言葉の間違いや勘違いを訂正するのではなく、何を訴えているのか、今どんな気持ちでいるのかといった心理を理解するように努めます。なお、相手の生活史を知ることで、言葉の意味や行動の意味が理解できることもあります。

▶言葉を選ぶ
相手がいつも使っている言葉や使い慣れた言葉（方言など）を使いましょう。たとえば、トイレでも、便所、化粧室、御不浄、厠などの表現があります。

▶禁止・否定をしない
「ダメ」「やめて」という強い響きをもつ言葉は、相手の心を萎縮させてしまうので注意しましょう。

3 介護者のコミュニケーションスキル

介護者は、認知症の人の表情、視線、行動などの裏にある気持ちや感情を理解し、適切な対応をしていくことが求められます。

1 認知症の人の心理理解

認知症の進行に伴い、コミュニケーションの方法は、言語的な方法より、**非言語的な方法**が多くなります（第2節参照）。たとえば、「じっと相手の目を見つめる」「奇声をあげて泣き叫ぶ」といったことは、「伝えたいことがあるのに言葉が出てこない」ことが背景になっているのです。

認知症の人への対応にあたり、以下の3つが必要です。

- **共感**：利用者に寄り添う気持ちをもつこと
- **受容**：ありのままを受け入れる姿勢をもつこと
- **傾聴**：心と耳と目を相手に傾け、真剣に聴くこと

2 介護者自身への理解

もう1つ大切なことは、介護者自身が自らを知り、コントロールすることです。自分のコミュニケーションスタイルを知り、**相手へどのような影響を与えているかに気づく**ことが必要です。認知症高齢者とよいコミュニケーションをとるには、相手と相手の背景を知るとともに、自分自身を知ることも必要なのです。

表5-2は、自分のコミュニケーションスタイルを知る

▶**介護者が与える影響**
介護者からかけられた言葉や介護者から向けられた表情なども、利用者心理に影響を与えます（第3章第3項参照）。

ためのチェックリストです。自分が人とコミュニケーションを行うさいに、最も当てはまると思うものを、設問1〜設問20について、それぞれ5つのなかから選んでください。そして、各配点に従って合計点を出してみましょう。自分を知る目安の1つとなります。

表5－2　コミュニケーションスタイル

設問1　私は自分が人と関わるとき	点数
□だめだと思う	1
□恥ずかしがり屋だと思う	2
□普通だと思う	3
□普通よりいい関わり方をしていると思う	4
□おしゃべり好きだと思う	5
設問2　1日のうち他人と関わっている時間は	点数
□10分以下	1
□10〜30分	2
□少なくとも1時間	3
□平均して1〜3時間	4
□3時間以上	5
設問3　1日1分以上話す人はだいたい	点数
□1人か2人	1
□3人	2
□4〜5人	3
□6〜7人	4
□8人以上	5
設問4　1日に電話する回数は	点数
□1回か2回	1
□3回	2
□4回	3
□5回	4
□6回以上	5
設問5　1日に外で過ごす時間はだいたい	点数
□1時間以下	1
□1〜2時間	2
□2〜3時間	3
□3〜6時間	4
□6時間以上	5
設問6　家では	点数
□いつも静かにしていたい	1
□静けさのなかに会話があってもいい	2
□静かにしていたいが、人や音楽にも囲まれていたい	3
□静かな時間もある程度あり、人がいたり喧騒な時間もあるといい	4
□人と一緒に過ごしたり、活動したり、たくさんの音楽に囲まれていたい	5

設問7	仕事や儀礼上以外の会話の回数は1日平均して	点数
	☐ 0回	1
	☐ 1回か2回	2
	☐ 3回	3
	☐ 4回	4
	☐ 5回以上	5
設問8	手紙やメモ、日記は	点数
	☐書いたことがない	1
	☐たまに書く	2
	☐ときどき書く（1週間に2～4回）	3
	☐よく書く（1日に1回くらい）	4
	☐とてもよく書く（1日に数回）	5
設問9	（周りの人から）話す速さが	点数
	☐遅いと言われる	1
	☐落ち着いていると言われる	2
	☐普通であると言われる	3
	☐ちょっと速いと言われる	4
	☐とても速いと言われる	5
設問10	（周りに人から）話し声が	点数
	☐静か過ぎると言われる	1
	☐聞き取れないことがあると言われる	2
	☐ちょうどいいと言われる	3
	☐大きいことがあると言われる	4
	☐いつも大きいと言われる	5
設問11	（周りに人から）話しの内容が	点数
	☐わからないと言われる	1
	☐はっきりしないと言われる	2
	☐わかると言われる	3
	☐よくわかると言われる	4
	☐表現がとても豊かだと言われる	5
設問12	語彙数は	点数
	☐少ない	1
	☐日常生活には足りる程度	2
	☐高校卒業程度	3
	☐比較的多い（大学卒業程度）	4
	☐とても多い	5
設問13	ボディランゲージは	点数
	☐ごく少ない（口だけで話す）	1
	☐そんなに使わない（時々使う）	2
	☐かぎられたものだが、よく使う（手を使ってジェスチャーする）	3
	☐十分に使っている（ジェスチャーしたり、物に触れたりする）	4
	☐とても多い（人に何かを言うときはいつも使う）	5
設問14	聞き取りの度合いは	点数
	☐しばしば問題があり、聞き取れない	1
	☐わかる（補聴器などを使えるが、使っていない）	2
	☐まったく聞き取れない	3
	☐わかる	4
	☐よくわかる（聞き落とすことはない）	5

設問15 ユーモアや皮肉は	点数
□ほとんど使わない（ユーモアのセンスがないと人に言われる）	1
□意図的に使う（ユーモアを使うことができるが、ジョークを言うことはできない）	2
□状況に応じて使う（ちょっとしたときに使う）	3
□よく使う（ユーモアのセンスがあり、ときには嫌味も言う）	4
□いつも使う（ユーモアのセンスが理解でき、嫌味も言う）	5

設問16 会話の間のアイコンタクトは	点数
□ほとんどできない（めったに目を合わせることができない）	1
□あまりできない、特に偉い人や認知症の人の前ではできない	2
□友達と一緒にいるときは適度にできるが、偉い人や患者の前ではできない	3
□どのような人の前でも比較的容易にできる	4
□いつでもできる（人を舞い上がらせるのを楽しんでいる）	5

設問17 コミュニケーションの間に人に触れることは	点数
□めったにしない	1
□子どもに対して、状況に応じて触れる	2
□よく知っている人とはずっと触れる	3
□お互いに以心伝心できたと思える人には触れる	4
□よくする（コミュニケーションでは当たり前のことである）	5

設問18 会話を始めるさい、または話題を変えるさいに、責任は	点数
□めったに、もしくは少しも感じない	1
□状況に応じて感じる	2
□半分程度の割合で感じる	3
□感じないときより感じるときのほうが多い	4
□いつも感じている、もしくは自分ではそう思っている	5

設問19 聞き手としては	点数
□よい聞き手であり、話し手ではない	1
□聞き手にまわることが多いが、必要なときは話し手にもなる	2
□聞き手であることが好きで、聞いたことに返事するのが好き	3
□話し手にまわることが多いが、必要なときは聞き手にもなる	4
□よい話し手であり、長い時間聞き手にまわることは耐えられない	5

設問20 認知症の人をケアしていこうとするときに、お互いの意思を確認することは	点数
□ほとんど（1日に1回以下の関わり）	1
□毎日だが表面的である	2
□毎日の会話のなかでいつも行っている	3
□精神的な援助のなかで毎日行っている	4
□常に深い精神的な援助を行っていくという親密な関係のなかで、毎日行っている	5

合計点	コミュニケーションスタイルの目安
～40点	内向的なコミュニケーションスタイル
41～60点	聞き役
61～80点	積極的な話し手
81点以上	外向的なコミュニケーションスタイル

（出典：Ronaldo W.Toseland,Philip McCallion 著　野村豊子 訳『Maintaining Communication with Persons With Dementia-Leader's Manual』Springer Publishing company）

④ 認知症ケアの実践プロセス

認知症高齢者にかぎらず、何らかのニーズをもつ人を支援する場合、一般的に、ケアマネジメントのプロセス（手順）が使用されます。

1 ケアマネジメントのプロセス

ケアマネジメントとは、ケアを受ける人（利用者）のニーズに応えるため、必要な社会資源を結び付け、連絡・調整し、利用者の望む生活を実現させるための手法といえます。

2 アセスメントの目的と視点

アセスメントの目的は、利用者の情報収集とニーズの明確化にあります。以下の6つの視点から進めていきます。

①生命の安全（健康状態が悪化するような点はないか）

目標は、**健康に過ごすこと**です。注意したいことは、身体状態の変化を見逃さないことです。認知症の人は、苦痛や不安、不快を適切な言葉や表現で訴えることができません。そのため、周辺症状（第3章第1節表3-1参照）が表れるといわれています。「いつもとちょっと違う」と感じたら、そのままにしないで早期対応につなげていきます。

②生活の安定（日常生活の自立、継続ができているか）

目標は、**安全に過ごすこと**です。注意したいことは、認知症の人の運動機能や危険認知能力の変化に伴い、安全な

▶ケアマネジメント
プロセスは、①アセスメント、②目標の設定とケアプランの作成、③ケアプランの実施、④評価となります。評価の段階で、「目標達成に至っていない」「利用者の満足が得られていない」という結果であれば、またアセスメントに戻り、目標の変更やケアプランの修正を行い、修正したケアプランを実施するという手順を繰り返します。

環境も安全な支援の方法も変化していくということです。見当識障害のため、道に迷ったり、家のトイレの場所がわからず、不安となりストレスを抱えることが予想されます。記憶障害の程度や環境適応能力を十分アセスメントし、利用者にとっての快適性を考えていきます。

③人生の豊かさ（その人らしい生活ができているか）
　目標は、**残存機能を十分活用すること**です。重要なことは、個別性があり、認知症の人のやる気が出るような環境を作ることです。環境設定によって、残存能力が引き出されることもあります。

④安心と快適（不安や不快な状態である点はないか）
　目標は、**安心で快適であること**です。人間関係や環境、活動状況などに着目します。

⑤残存能力（自分の力を発揮しているか）
　目標は、**その人らしさが継続されること**です。今までの生活様式や習慣、生活リズム、なじみの関係（第1節参照）など、利用者の思いを大事にアセスメントします。まだほかに出せる力はないかにも着目します。

⑥支援体制（利用者本位で支えられる資源はないか）
　目標は、**お互いに支え合うこと**です。重要なことは、認知症の人とその家族が、地域や近隣の人たちとのつながりをもちながら生活しているかです。まず、どのような介護を望んでいるのか、身体的・心理的・経済的負担等の背景、利用者への思いも含めてアセスメントしていきます。特に大事なのは、支援者からの一方向的な視点ではなく、介護者と利用者のこれまでの歴史にも着目することです。

▶支援体制
フォーマルサービスのみでなく、インフォーマルサービスも活用し、支援体制を調整していくことも大事です（第10章参照）。

5 ケアマネジメントの進め方

アセスメントで明らかになったニーズに応えるために、目標を掲げ、目標に向け具体的なケアプランを作成します。

1 アセスメントの方法

アセスメントでは、集めた情報から、**利用者のもつニーズ（生活上の課題）**を導き出します。そして、課題の原因は何であるか、あらゆる視点から考えていきます。

利用者の情報収集のために、一般的には、観察と面接という方法を用います。そして、収集した情報から現在の利用者像を客観的に把握するには、**評価スケール**を使用します。以下に、日本で主に使用されている評価スケールを紹介します。

①知能レベル（認知症レベル）の評価スケール
記憶障害を中心とした**中核症状**（第3章第1節参照）の状態を把握するために使用されます。質問式と観察式があるので、対象者の状況によって、どちらのタイプを使用するか判断します。

【質問式】
a．改訂長谷川式簡易知能評価スケール（HDS-R）
一般の高齢者から認知症高齢者を抽出する目的で考案されたものです。質問事項は「年齢・日付の記憶」「言葉の記憶」「数字の逆唱」「物の所在の記憶」「言葉の流暢さ」など9項目からなり、総得点は30点で、20点以下で認知症を疑うという診断になります。

b．Mini-Mental State Examination（MMSE）

　認知機能検査と訳されます。質問式では、国際的に最も使用されているスケールです。質問事項は「記憶」「計算」「指示の理解」「図形の模写」など11項目からなり、総得点は30点で、23点以下で認知症を疑うという診断になります（ただし、対象者の教育歴と年齢によって異なることがあります）。

【観察式】
a．柄澤式「老人知能の臨床的判定基準」

　高齢者の生活を身近で見ている家族や介護者から「日常生活動作（第2章第1節参照）」「日常会話」「意思疎通」について情報を集め、大まかな知的機能の状態を診断します。

b．Clinical Dementia Rating（CDR）

　臨床的認知症尺度と訳されます。観察式では、国際的に最も使用されているスケールです。「記憶」「見当識」「判断力と問題解決」「社会適応」「家庭状況」「介護状況」を5段階で評価します。「CDR 0＝健康」～「CDR 3＝重度認知症」としています。

c．Functional Assessment Staging（FAST）

　アルツハイマー型認知症の重症度を評価するスケールです。臨床的特徴が7つのstageに区分され、「FAST 1＝正常」～「FAST 7＝高度のアルツハイマー型認知症」としています。

②日常生活動作（ADL）の評価スケール
a．N式老年者用日常生活動作能力評価尺度（N-ADL）

　「歩行・起座」「着脱衣・入浴」「摂食」「排便」という基本的な日常生活動作を5項目ごとに7段階で評価します。総得点は50点で、点数が低くなるほど障害が大きいと判

断します。

b. Instrumental Activities of Daily Living (IADL) Scale

「電話」「買物」「食事の準備」「家事」「洗濯」「移送」「服薬管理」「財産取扱い」という手段的日常生活動作の8項目を評価します。総得点は8点です。ただし、男性は「食事の準備」「家事」「洗濯」の3項目は評価しないので、男性の総得点は5点です。

③行動・心理症状（BPSD）の評価スケール

Dementia Behavior Disturbance Scale（DBD）を用います。対象者にみられる行動・心理症状の出現頻度を家族や介護者に質問し、その程度を評価します。得点が高いほど出現頻度が高く、症状が不安定であることを示します。

表5−3 質問式と観察式の特徴の比較

	質問式	観察式
長所	・5分程度でできる。 ・生年月日がわかれば実施できる。 ・単身者に有用である。 ・運動機能障害があっても実施できる。	・評価者が対象者の日常生活の様子をよく知っていれば、2～3分でできる。 ・対象者の協力がなくても実施できる。 ・生年月日や計算などの質問をしなくてよい。 ・視聴覚障害が高度でも、日常生活の様子から判断できる。 ・失語がある対象者でも、ある程度評価できる。
短所	・拒否的な場合は実施できない。 ・視聴覚障害が高度の場合にはできない。 ・失語が顕著な場合は向かない。	・単身者には実施できない。 ・運動機能障害がある場合は、運動機能によるものか、認知症によるものか判別しにくい。

（出典：本間昭『在宅痴呆診療マニュアル』（現『在宅認知症診療マニュアル』）日本医事新報社を基に作成）

2 目標の設定

アセスメントで明らかになったニーズを解決するために、まず、利用者の希望や思いを目標として掲げます。

認知症の進行に伴い、本人の言葉で希望を発することは困難になってきます。そのときは、認知症の人の表情や行動等に注目し、また、家族や介護者などと相談しながら目標を立てていきます。

目標設定のさいに重要なことは、**個々に合わせた具体的なものであること**です。つまり、目標の文章を読んだ人に、利用者の姿が目に思い浮かぶことが大事なのです。

3 ケアプランの作成

目標に向け、具体的な方法を考えていくことがケアプランの作成です。ケアプランの内容は、**実行可能であり、継続可能であり、利用者の変化に柔軟に対応可能なものであること**が求められます。

▶ケアの内容・方法
誰（だれ）が見てもわかるように書かれることが必要です。読めばすぐにケアができる手順書のような形式で書くとよいでしょう。

表5-4 目標を達成するためのケアプランの例

項目	内容
掃除	居間・寝室・トイレ・台所を掃除する。
洗濯	必要時に行う。
ベッドメイク	声かけを行い、天気のよい日は布団を干す。
調理	できる部分は本人と一緒に行う。
配膳・下膳	本人ができる場合は見守りを行う。
買物	本人の調子をみて、一緒に買物に行く。
服薬	訪問時は必ず服薬確認をする。服薬していない場合は声かけを行う。1人でできない場合は手伝う。
備考	腰痛や狭心症、心筋梗塞の持病があるので、注意しながら、本人の自立を促していきましょう。

（出典：長寿社会開発センター『介護職員基礎研修テキスト第4巻 認知症の理解と対応』を基に作成）

6 ケアプランの実施と評価

利用者の心身両面を観察し、結果を踏まえ、ケアプランに沿ってケアを実施していきます。

1 ケアプランの実施の基本

　利用者の状況はいつも同じではありません。時と場合によって、柔軟にケアの方法を変えていく知識と技術が要求されます。また、よいケアであっても、継続されなければ意味がありません。目標の実現に向けて、報告・連絡・相談を実践して情報を共有し、チームメンバーが協働していかなければなりません。

　第2節で述べたように、認知症の人は、ケア提供者の言動に敏感に反応する傾向があります。そこで、ケア提供者は、自己の利用者への関わり方やケアの方法を振り返りながら、ケアを進めていく必要があります。また、生活環境や人的環境が本人の心身状況に影響を与えることも忘れてはいけません。

2 ケアプラン実施の留意点

①残された能力に働きかけ「今」を大切にする

　今を大切に安心して生活するためには、「できないこと」に着目するのではなく、「今、何ができるか」や「今、できること」に着目することが大事です。

　残された能力にも働きかけることが大事であり、楽しみ

や感動といった、今を大切にする関わり方が自立した生活につながります。

②規則正しく心地よい生活リズムを作る

　認知症の人の日常生活のリズムを知るためには、これまでの生活の仕方を知る必要があります。利用者がどのような暮らしをしていたのか、アセスメント（第4節・第5節参照）も不可欠です。

　日課表や予定表に基づいて支援することよりも、その人の生活の流れに自然に乗りながらリズムをコントロールすることが重要といえます。たとえば、散歩中に利用者が草木の名前を口にしたら「よくご存じですね。もっと教えてください」など、利用者の優れているところを認める言葉をかけるようにしましょう。また、生活をともにするという視点で、今までの生活行為（掃除、洗濯・洗濯物干し、買物など）を一緒に行ってみましょう。このとき大事なのは、「助かりました」「ありがとうございました」と、本人に感謝の気持ちを伝えることです。

③安全に配慮し転倒・転落などの事故を予防する

　判断力の低下、認知機能の低下、記憶力の低下のある認知症の人の事故を未然に防ぐあまり、本人に残された機能を十分に発揮できないケースが多く見られます。こうしたことを回避するためには、予測できる事故防止の対策や、不慮の事故への対策を立て、チームメンバー全員に周知しておく必要があります。たとえば、転倒・転落にはベッドの高さの調整や床材の検討、段差解消、不要な物を床に置かないなどの対策が必要です。

　そのほかの事故例として、異食・誤嚥・誤飲・窒息・溺死などがあります。リスクを検討し、事故を未然に防ぐケ

アの実施と環境整備が必要です。
　なお、ケア提供の注意点や事故対応などの具体的な方法については、第6章で述べます。

④安心と快適な環境を作る
　利用者は、環境の変化に対する適応力が低下しています。特に、施設入所等の環境の変化には、時間や場所がわからなくなったり、人の区別がつかなくなり、不安や混乱が生じてきます。このような場合は、慣れ親しんだ家具や装飾品の工夫で安心できる生活環境を提供することが大切です。
　認知機能の低下から、できないことが増え、周囲の人が誰なのかもわからない状況では、いらだちや不安とやるせなさを抱えると想像できます。認知症の人の気持ちを受け止め、なじみのある環境のなかで、できないことをさりげなく援助するようにしましょう。

⑤尊厳の保持に配慮する
　利用者は、認知症が進行しても、感情やプライドは残っています。周囲のできごとに対して理解できないことに、強い不安をもっていることもあります。また、対応の仕方によっては、プライドが傷ついていることもあります。
　たとえ、認知症であったとしても、人として捉えることが大切です。尊厳の保持とは、人格を尊重し、その人らしさを支援し、一人ひとりの生活の仕方や残された能力を大切にしていくことです。
　排泄や入浴の介助のさいに配慮するのはもちろんのこと、監視ではなく見守りを行うことを心がけましょう。

3 ケア評価の基本

ケアプランを立て、ケアを実践したら、評価をします。
利用者の生活が目標に向かってよい変化をみせているか、利用者がケアや日常生活に満足しているかを確認をします。

4 ケア評価の方法

評価は、1か月ごと、3か月ごとというように定期的に行うこともありますが、多くの場合、利用者ニーズの変化に合わせて、その都度実施します。一般的には、**ケアカンファレンス**が行われます。各サービス提供者、ケアマネジャー、利用者（本人・家族）などが出席します。

それぞれの立場から意見を述べ、今までのケアを振り返り、反省を踏まえ、今後の方向性をケアカンファレンスの参加者全員で確認します。具体的には、ケア計画の修正、目標の変更、情報交換などがされます。

大事なことは、ケアカンファレンスは、サービス提供者同士、提供者と利用者間でよい人間関係を築く場でもあるということです。また、介護者は、**認知症の人の代弁者となる**こと、認知症の人が真意を伝えることができるよう援助することを忘れてはなりません。

本人の意思をケアチーム全員が共通理解するには、まず、本人の思いを知ることが必要です。しかし、認知症の人は、コミュニケーション能力の低下によって、適切な言葉が出てこないことが少なくありません。そこで、いつも身近でケアしている介護者が、話しやすい雰囲気を作り、本人の言葉を促す役割を果たしましょう。また、言葉にならない思いを本人に代わってメンバーに伝えることも大切です。

確認問題

問1

認知症ケアの原則についての記述のうち、正しい組み合わせを1つ選びなさい。

A 一人ひとりが今まで培った生活リズムや生活様式を、少しずつ変えていくことが必要である。
B できること・できないことをアセスメントし、できないことに注目し、支援していくことが大切である。
C 言語的な意思疎通が困難になっても、人としての尊厳を保つことは大切である。
D 適応力の低下がみられた場合は、環境を変えることで安心できる心地よい生活空間を提供できる。
E 介護者は、利用者の状態を常に観察し、体調変化を早期発見することが大切である。

① A・B　② A・C　③ B・C　④ C・E　⑤ D・E

問2

認知症ケアの原則についての記述のうち、正しい組み合わせを1つ選びなさい。

A 主体性の尊重・自己決定の尊重――本人が望む生活を実現する。
B 社会的交流・プライバシー――集団で過ごす空間や時間を保障する。
C 自由と安全の保障――本人の自由を保障し、言動を受容する。
D 権利侵害の排除――利用者が意思表示できない場合は、介護職員本位の支援をする。
E 心地よい適度な刺激のある生活環境の提供――なじみの関係を作りながら、少しずつ環境を変化していく。

① A・B　② A・C　③ B・C　④ C・E　⑤ D・E

問3
認知症高齢者についての記述のうち、正しい組み合わせを1つ選びなさい。

A　入所または通所のペースに合わせた集団対応が望まれる。
B　失われがちな自立への意欲を受容しそのまま観察する。
C　体調変化を発見したら、入院を勧める。
D　今までの生活リズムや生活様式を十分知ったうえでケアをしていく。
E　生活環境や生活リズムをできるかぎり変えないようにしていく。

① A・B　　② B・C　　③ B・D　　④ C・D　　⑤ D・E

問4
認知症の人とのコミュニケーションに対する介護者の対応について、正しいものを3つ選びなさい。

A　受容
B　安全
C　共感
D　傾聴
E　否定

問5

認知症の人とのコミュニケーションについての記述のうち、正しい組み合わせを1つ選びなさい。

A　コミュニケーションには2つの機能があり、1つは情報の伝達であり、もう1つは自己表現である。
B　送り手と受け手の存在する二者間のコミュニケーションは、送り手を中心とした双方向のコミュニケーションが基本となる。
C　言語コミュニケーションは言語（言葉・文字）を使用し、例として、会話、電話、メール、ファックス、手紙等によるものがある。
D　非言語コミュニケーションは言語を使用せず、例として、動作、視線、表情、服装等によるものがある。
E　日常生活での使用比率は言語によるコミュニケーションが3〜4割であり、非言語によるコミュニケーションが6〜7割であるといわれている。

① A・B　　② B・C　　③ B・E　　④ C・D　　⑤ D・E

問6

認知症の人とのコミュニケーションについての記述のうち、正しい組み合わせを1つ選びなさい。

A　具体的な言い回しではなく、抽象的な言い方が必要である。
B　介護者自身が自分のコミュニケーションスタイルを知り、相手へどのような影響を与えているかに気づく必要がある。
C　同じペースで自由に自己表現できるよう、利用者のペースを介護者に合わせてもらう。
D　介護者は、利用者の表情、視線、行動等の裏にある気持ちや感情を理解し、適切に対応する。
E　介護者は、利用者の思考や会話が一定のペースになることを心がける。

① A・B　　② A・C　　③ B・C　　④ B・D　　⑤ D・E

問7
認知症の視点についての記述のうち、正しい組み合わせを1つ選びなさい。

A　アセスメントの目的は、利用者の情報収集とニーズの明確化にある。
B　個別性の視点を考えるときは、「その人らしさ」がキーワードになる。
C　支援体制の視点では、本人とその家族がお互いに協力しながら暮らしているかを中心にみていく。
D　健康の視点では、定期的受診をしているかどうかに注意する。
E　安全の視点では、利用者の運動機能や認知能力の変化を観察し、介護者にとっての快適性を考えていく。

① A・B　② A・E　③ B・E　④ C・D　⑤ D・E

問8
ケアの実施についての記述のうち、正しい組み合わせを1つ選びなさい。

A　ケアによって利用者の状態が変化することはない。
B　ケアを継続することは必要ではない。
C　チームメンバーで報告・連絡・相談を実践することが必要である。
D　目標実現に向けて、チームメンバーの協働が必要である。
E　ケアの方法を変えると混乱するので同じ方法がよい。

① A・B　② B・C　③ B・D　④ C・D　⑤ D・E

問9
アセスメントの目的と視点について、正しいものを3つ選びなさい。

A 健康の視点では、「いつもと違う」「何か様子がおかしい」と感じたことをそのままにしないことが必要である。
B 安全の視点では、記憶障害の程度や環境適応能力は勘案せずに、日常生活の自立や継続ができているかをアセスメントする。
C 自立支援の視点では、環境設定によって、残存能力が引き出されることがある点に留意する。
D 支援体制の視点では、利用者と家族のつながりを大切にし、地域社会とのつながりはもたないようにする。
E 今までの生活様式や習慣、生活リズム、なじみの関係など利用者の思いを大事にアセスメントする。

問10
認知症の人とのコミュニケーションの具体的な留意点の記述のうち、正しい組み合わせを1つ選びなさい。

A 補聴器のスイッチが入っているかを確認したり、眼鏡をかけさせるという準備も必要である。
B 伝えたい事柄については、絵や写真や動作で示すと混乱しやすいので避ける。
C 肩や手に触れるようなボディータッチは、本人のためにも避けたほうがよい。
D 短い文章ではっきり伝えるようにする。
E 本人の言葉の文法的な間違いは指摘して、訂正を促すようにする。

① A・B　② A・C　③ A・D　④ C・D　⑤ D・E

問 11
認知症の人とのコミュニケーションについて、正しいものを3つ選びなさい。

A 認知症の進行に伴い、視覚よりも聴覚に訴えることが効果的になる。
B 話を中断されると次の言葉が思い出せないなどの混乱が起きるため、後の話は続けず会話を中止する。
C 認知症の進行に伴い、コミュニケーションの方法は「言語的な方法」より「非言語的な方法」が多くなる。
D 介護者からかけられた「言葉」や向けられた「表情」等は、利用者心理に影響を与える。
E 利用者の背景を知るとともに、介護者も自身を知ることが必要である。

問 12
認知症の診断・評価について、正しい記述を3つ選びなさい。

A 認知症診断基準では、世界保健機関（WHO）作成の国際疾病分類の診断ガイドラインが用いられている。
B 改訂長谷川式簡易知能評価スケール（HDS-R）は正常高齢者から認知症を抽出する目的で考案され、15点以下を認知症としている。
C 認知症の原因を明らかにするには、CT・MRI等の検査を受けることが必須である。
D MMSEは諸外国で広く使用されている質問式の認知症簡易検査法である。
E 柄澤式「老人知能の臨床的判定基準」は専門家の観察により高齢者の知的機能を大まかに判断するものである。

問13
ケアプラン評価についての記述のうち、正しい組み合わせを1つ選びなさい。

A 利用者の意思をケアチーム全員が共通理解するには、まず、利用者の思いを知ることが必要である。
B 評価は、利用者の気持ちの変化に合わせて、その都度実施することが多い。
C 評価の方法は、一般的にはケアカンファレンスが行われるが、利用者本人・家族等の出席は必要としない。
D 今までのケアを振り返り、反省を踏まえて、今後の方向性をケアチーム全員で確認する。
E カンファレンスの場での介護者の役割は、「利用者の代わりに発言する」「介護者の真意を伝える」ことである。

① A・B　② A・D　③ B・C　④ C・D　⑤ D・E

問14
認知症高齢者をケアしていくためのアセスメントの視点について、正しいものを3つ選びなさい。

A 健康の視点では、身体状況を見逃さないことが大切である。
B 安全の視点では、「安全な環境」「安全な支援の方法」は変化していくことに注意する。
C 個別性の視点では、「その人らしさ」がキーワードになる。
D 支援体制の視点では、家族が介護生活について身体的・心理的・経済的負担を感じているか考慮する必要はない。
E 生活習慣の継続やなじみの関係は、アセスメントしなくてもよい。

第5章 認知症ケアの実践

解答と解説

問1
解答 → ④ C・E

解説
- A 生活リズムや生活様式を、できるかぎり変えないことが必要である。
- B できないことに注目するのではなく、できることを利用者にしてもらうことが大切である。
- C 認知症が進行し言葉や行動の理解が困難になっても、人として尊重することを忘れてはならない。
- D 環境を変えることは避け、なじみの関係を作ることで安心できる心地よい生活空間を提供する。
- E 「いつもとちょっと違う」という気づきを放置せず、必要に応じて医療従事者に報告する。

問2
解答 → ② A・C

解説
- A 利用者の感じている不自由さをアセスメントし、不自由さを減らす支援を考え実践していく。
- B プライバシーを保つには、適度に他者と交流しながら、自由な時間と空間を確保する。
- C 利用者が安心して介護を受けられるよう、信頼関係の構築に努める。
- D 権利侵害を排除するには、本人の表情や行動から利用者の思いを察知し、思いに沿った支援をする。
- E 急激な環境変化を避ける。

問3
解答 → ⑤ D・E

解説
- A 入所または通所のペースにあわせた個人対応が望まれる。
- B そのまま観察するのではなく、自立の支援をする。
- C 体調変化を発見したら、入院ではなく受診を進める。
- D その人らしい生活を継続するために必要なことである。
- E なじみのある家具や使い慣れた家具を設置する。

問 4

解答 → A・C・D

解説　A　ありのままに受け入れる姿勢をもつ。
　　　B　安全に過ごすことは、コミュニケーションとの直接の関係はない。
　　　C　利用者に寄り添う気持ちをもつ。
　　　D　心・耳・目を相手に傾け、真剣に聴く。
　　　E　否定しないことが基本である。

問 5

解答 → ④　C・D

解説　A　コミュニケーションには、情報伝達と共同世界の構築の機能がある。
　　　B　送り手と受け手の役割を交代しながら、双方向のコミュニケーションを行うことが基本となる。
　　　C　点字と手話も言語コミュニケーションに含まれる。
　　　D　目の動き、距離、位置なども非言語コミュニケーションに含まれる。
　　　E　日常生活での使用比率は言語によるコミュニケーションが2〜3割であり、非言語によるコミュニケーションが7〜8割であるといわれている。

問 6

解答 → ④　B・D

解説　A　抽象的ではなく、具体的な言い方が必要である。
　　　B　相手と相手の背景を知るとともに、自分自身を知ることも必要である。
　　　C　利用者ではなく、介護者がペースを合わせる。
　　　D　認知症の進行に伴い気持ちを言葉にしにくくなるため、表情などから察知する。
　　　E　利用者の思考や会話に柔軟に対応していく必要がある。

問7
解答 → ① A・B
解説
- A 利用者の望む生活を実現するための手法である。
- B 今までの生活習慣の継続や、なじみの関係などをアセスメントする。
- C 利用者とその家族が、地域社会と協力しながら暮らしているかをみていく。
- D 身体状況の変化を見逃さないように注意する。
- E 利用者の運動機能や認知能力の変化を観察し、利用者にとっての快適性を考えていく。

問8
解答 → ④ C・D
解説
- A ケアによって利用者の状態は変化する。
- B ケアを継続することは必要である。
- C 利用者の状況は常に同じではないため、報告・連絡・相談が必要である。
- D ケアの方法を変更したり、知識・技術を強化していくために、チームの協働が必要である。
- E 時と場合によって、柔軟にケアを変えるとよい。

問9
解答 → A・C・E
解説
- A 早期に対応し、受診などを進めることも必要である。
- B 記憶障害の程度や環境適応能力を勘案しながら、「安全な支援の方法」や「安全な環境」の変化を考えていく。
- C 本人のやる気が出るような環境をつくることが必要である。
- D 利用者・家族と地域社会とのつながりをもたせる。
- E その人らしさが継続されることを視点においてアセスメントする。

〔問 10〕
解答 → ③　A・D
解説　A　コミュニケーションを阻害する要素である雑音を取り除く。
　　　B　絵や写真や動作で示し、視覚に訴えることが効果的である。
　　　C　ボディータッチは、大切に思うメッセージも伝わり有効である。
　　　D　簡潔にまとめ、語尾まではっきりと伝える。
　　　E　文法的な間違いは指摘したり、訂正しないようにする。

〔問 11〕
解答 → C・D・E
解説　A　視覚に訴えることのほうが効果的である。
　　　B　会話を中断すると、言葉を思い出せなくなり混乱することがあるため、避ける。
　　　C　言葉が出てこなくなるため、非言語コミュニケーションを用いる。
　　　D　介護者が利用者からどのように思われているかを感じ取る。
　　　E　相手と自分自身を知り、コミュニケーション方法を考えていく。

〔問 12〕
解答 → A・C・D
解説　A　症状の有無や程度の指標となる。
　　　B　改訂長谷川式認知症スケール（HDS-R）は、20点以下を認知症としている。
　　　C　脳の萎縮や出血の有無から診断する。
　　　D　国際的に最も多く使用されているスケールである。
　　　E　柄澤式は、いつも身近にいる家族や介護者の証言により高齢者の知的機能を大まかに判断するものである。

問13

解答 → ② A・D

解説
A 何らかのニーズをもつ利用者をケアチーム全員で支援する。
B 利用者のニーズの変化に合わせて、その都度実施することが多い。
C ケアカンファレンスには、利用者本人・家族等の出席が必要である。
D ケア計画の修正、目標の変更などを行う。
E 介護者の役割は、「利用者の代わりに発言する」「認知症の人の真意を伝える」ことである。

問14

解答 → A・B・C

解説
A 身体状況は行動や表情から読み取れることもある。
B 運動機能や危険認知能力の変化がともなう。
C 利用者の思いを大事にアセスメントする。
D 家族が身体的・心理的・経済的負担を感じているか考慮する必要がある。
E 生活習慣の継続やなじみの関係も、大事にアセスメントする。

第6章

日常生活支援

1 認知症高齢者の健康管理

第5章では、認知症ケアの原則を踏まえ、主にケアのプロセスを学習しました。第6章では、認知症という疾患特性を踏まえた具体的な対応方法を理解しましょう。

1 健康管理の基本

認知症の人にかぎらず、身体状況が健康に保たれることは、人々が健やかな毎日を送るうえでの基本です。

一般の成人は、自分の体調変化を自分自身で感じ、必要な対応をとることができます。しかし、認知症の人は、症状の進行に伴い、体調変化も感じにくくなり、体調変化を人に伝えることも困難になってきます。認知症の人から、「何だか熱っぽい」「お腹がシクシク痛い」などという直接的な訴えは、あまり聞かれません。体調変化を介護者に伝えるのは、「ぼんやりしている」「食事の箸が進まない」というような様子です。ですから、介護者が認知症の人の**変化を見逃さない**ことが大切です。

「ちょっといつもと違う」「何かおかしい」という気づきを放置せず、バイタルサインを測定したり、医療従事者に報告することが必要です。つまり、介護者が五感を使って観察した事柄（主観的観察）を数値化することで、客観的な状態把握ができるのです。

▶バイタルサイン
体温・呼吸・脈拍・血圧など、生命の徴候を測る指標のことです。

2 観察のポイント

1人でできた着脱行為ができない、歩き方がおかしいな

ど、ささいな変化を見逃さないことです。表6-1を参考に注意して観察しましょう。

表6-1 観察のポイント

項目	例
反応	話しかけてもぼんやりとしていて反応が少ない、1点をじっと見ている。
顔・表情	顔色が悪い、むくみがある。
身体	身体の一部を触ってみる（手を握るなど）。
外見	元気がない、清潔でなくなった、身だしなみが以前よりもだらしなくなった。
食事	食事への関心はあるか、食欲はあるか、嚥下・咀嚼状態はどうか。
排泄	尿意・便意はあるか、排泄の回数・量はどうか、トイレまでの移動能力はどうか、排泄後の後始末はできているか。

　そのほか、入浴への関心の有無、危険察知の有無、衣服の着脱の有無などがあります。
　なお、よくある異常のサインと異常への対応は、表6-2のとおりです。
　高齢になると回復に時間がかかり、重症化する傾向があります。そこで、早期発見と早期対応が重要になります。

表6-2 異常のサインと対応

症状	異常のサイン	原因
呼吸器症状	咳・痰・熱がある（発熱時は呼吸数・脈拍数が多くなる）。	感染症…風邪、インフルエンザ、肺炎、尿路感染症（膀胱炎、腎盂腎炎）など
消化器症状	腹痛がある。	・一般的な腹痛…便秘、ガスの貯留、寝冷え、下痢など ・病気等による腹痛…虫垂炎、腸閉塞、胆石など
循環器症状	・むくみがある。 ・脈拍数が増加（1分間に100回以上）し、呼吸が苦しくなる（咳や痰も出る）。 ・爪が白くなる。 ・尿量が減る。	心不全
	胸痛がある。	狭心症、心筋梗塞
その他の症状	・皮膚が赤い。 ・表皮剥離がある。	褥瘡
	・元気がない。 ・ぐったりしている。	脱水

対応
・原因となっている疾患の治療を行う。 ・特に肺炎は注意が必要であり、呼吸困難がみられる場合は、すぐに受診させる。
・激痛・急激な痛みであるとき、発熱を伴うとき、激しい嘔吐(おうと)を繰り返しているとき、脈が速いとき、顔面蒼白(そうはく)で冷汗があるときは、すぐに受診させる。 ・嘔吐したさいは、うがいをさせ安静にする。誤嚥性(ごえんせい)肺炎を防止するため、顔を横に向けて寝かせる。 ・嘔吐物に血液が混入している場合は、受診させる。 ・嘔吐が治まった後は、水分補給する。
・足を高くして休ませる。 ・足がむくむと冷たく知覚が鈍くなるので、保温を心がける。 ・塩分や水分の摂取は、医師の指示に従い、必要であれば制限する。
・胸痛や左肩の痛みは注意が必要であり、すぐに受診させる。 ・ショック状態のときは、枕を使用せず足を高くする。
・皮膚損傷部を治療する。 ・栄養状態を見直し、改善する。 ・寝たきりの人は、2時間おきに体位変換する。 ・床ずれ防止のため、体位変換補助具を使用する。
・皮膚や口唇、舌が乾燥していないか観察する。 ・発熱がないか観察する。 ・食事量・水分量を観察する。 ・水分を補給する（1日1,000〜1,500ml） ・意識がもうろうとしている場合は、すぐに受診させる。

2 緊急時の対応

介護者は、事故の発生を予測し未然に防ぐ対応をとることはもちろんのこと、緊急事態に適切に対応できる知識と技術を身につけておくことが必要です。本節は、主な緊急事態と対応を紹介します。

高齢者の多くは、多臓器不全を合併していることがあり、かつ、症状や所見が非典型的である場合が多いといえます。いつ急変するかわからないので、日ごろから介護者・家族がよく話し合っておくことが大切です。

▶多臓器不全
重症傷病が原因となって複数の臓器が障害された状態です。中枢神経、心臓、肺、肝臓、腎臓、消化器などの臓器に限らず、凝固系・免疫系・内分泌系などの生理学的な機能の障害も含まれます。

1 意識障害

①特徴
　脳の意識をつかさどる機能が低下し、周囲の状況を正しく認識することができなくなった状態をいいます。また、声掛けなどの刺激に対し、適切に反応することができなくなります。
　脳の血流障害、脳腫瘍などによって起こります。

②対応
　まず、意識レベルの確認をします。表6-3のジャパンコーマスケール（JCS：Japan Coma Scale）などが用いられます。
　次に、衣服をゆるめ、昏睡体位（第3節 5 参照）をとらせ、気道を確保します。さらに、顔色、呼吸状態、発熱の有無、血圧、けいれんの有無、頭痛、胸痛などの状態観察を行い、医療従事者に報告します。

▶ジャパンコーマスケール
意識障害の深度（意識レベル）を測定するツールです。まず、覚醒度によって3段階に分類し、それぞれを3段階で示しています。評価基準がわかりやすいため広く普及しています。なお、国際的には、グラスゴーコーマスケール（GCS：Glasgow Coma Scale）が広く用いられています。

表6−3　意識障害の程度の確認　3-3-9度方式：JCS

Ⅰ	刺激しなくても覚醒している状態	
	ほぼ意識清明だが今一つはっきりしない	1点
	見当識障害がある（ここはどこなのか、自分がなぜいるのか理解できない状態）	2点
	自分の名前・生年月日が言えない	3点
Ⅱ	刺激すると覚醒する状態	
	普通の呼びかけで容易に開眼する	10点
	大きな声や体を揺さぶることにより開眼する	20点
	痛み刺激を加え、呼びかけを繰り返すとかろうじて開眼する	30点
Ⅲ	刺激しても覚醒しない状態	
	痛み刺激に対し、払いのけるような動作をする	100点
	痛み刺激で少し手足を動かしたり、顔をしかめる	200点
	痛み刺激に全く反応しない	300点

(注)　R（不穏）・Ⅰ（糞便失禁）・A（自発性喪失）などの情報を付けて、JCS200-Ⅰなどと表す。

（出典：橋村あゆみ著、寺本研一監修『緊急時の介護』介護労働安定センター）

2 ショック

①特徴

　急激な血圧低下が起こり、末梢血管への血液供給が減少し、組織の機能不全が起こっている状態です。特に、脳の機能不全の症状として、意識混濁が起こります。皮膚や顔面が蒼白になり、大量の発汗（冷や汗）、脈拍数の上昇、呼吸数の上昇、血圧の低下等が代表的な症状です。

　大量の出血、心不全、心筋梗塞、心理的動揺などによって起こります。虫刺されやペニシリンなどの薬物によって起こるアナフィラキシーショックもあります。

②対応

　呼吸しやすい安楽な体位をとらせます。顔色、呼吸状態、発熱の有無、血圧、けいれんの有無、頭痛、胸痛などの状

▶アナフィラキシー
アレルギーのうち、特に症状の激しいものをいいます。

態観察を行い、医療従事者に報告します。

3 転倒・転落

①特徴

　高齢者は、骨や関節が弱く、筋力低下もあり、少しの外力でも骨折を起こしやすくなります。そこに認知症が加わると、さらにリスクが高くなります。

　転倒・転落した本人が「大丈夫」と言っても、医療従事者に報告し、受診の必要性を判断してもらいましょう。転倒・転落後しばらくして、頭痛や吐き気が出てくることもあります。また、慢性硬膜下血腫（第2章第2節 6 参照）のように、1～2か月後に異常が出てくることもあるので、体調変化に注意することが必要です。なお、転倒・転落後「また、転ぶのではないか」「また、落ちるのではないか」と恐怖感をもち、閉じこもりがちになることもあります。

　歩行の不安定、状況判断力の低下、眠気、障害物、床の滑りなどが原因としてあげられます。加齢とともに転倒・転落のリスクは高くなりますが、認知症が加わると、ますますリスクは高くなります。

②対応

　痛みの有無と痛みの部位、腫れや皮下出血の有無、機能障害の有無、血圧・脈拍の状態、顔色などの状態観察を行います。骨折が疑われる場合、なるべく動かさないよう患部を固定し、医療従事者に報告します。

4 誤嚥

①特徴

　食べ物や異物を気管内に飲み込んでしまうことを誤嚥といいます。誤嚥した物の量が多かったり、誤嚥の回数が重なると、肺炎（**誤嚥性肺炎**）を起こす可能性が高くなります。口腔（口から喉の部分）は、一般的に36〜37℃に保たれ、唾液で潤されています。口腔内に食べ物が残っていると、温度・湿度・栄養の3条件がそろい、細菌が繁殖します。この細菌が気道に入ると、肺炎の原因になります。高齢者の場合、誤嚥性肺炎から死亡する例も少なくありません。

　誤嚥のさい、気管に入りそうになっている物を外に出す生体の自己防御反応として、むせ込み（反射的な咳）が起きます。しかし、高齢者の多くは、咳、熱、痰などの典型的な症状を認めることが少なく、食欲がない、元気がない、微熱があるなどの症状から、医療機関を受診して誤嚥性肺炎に気付くこともあります。

　咀嚼機能・嚥下機能の低下、不適切な食形態、不適切な食事介助などが原因となります。認知症の人の咀嚼機能・嚥下機能に合った食形態に調理する、正しい座位で顎を引いて食べさせる、本人の食事ペースを守り急がせないことで予防します。

　また、食後は口腔ケアを行いましょう。口腔内の細菌をコントロールすることで、口腔疾患のほか誤嚥性肺炎の予防ができます。

②対応

　誤嚥した物を吸引するほか、以下のような方法で外に出します。その後、顔色、呼吸状態、発熱の有無などの状態

▶口腔ケアの方法
義歯を取り外し、うがいやブラッシングにより食べ物を取り除きます。また、歯茎（粘膜）はスポンジブラシでふき取ります。なお、口腔ケアにより、口から食べること、おいしく食べることが実現され、生活の質（QOL：Quality of Life）を高めると考えられています。

観察を行います。
- **背部叩打法**………なるべく前屈させ頭を低くして、背中を叩きます。
- **ハイムリック法**…後ろから利用者を抱きかかえ、みぞおちにこぶしを置き、下から上に引き上げます。
- **かき出し**…………ディスポーザブルの手袋をしてかき出します。

●背部叩打法　　　　　　●ハイムリック法

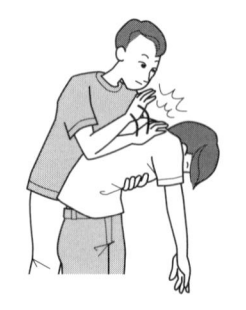

5 窒息（ちっそく）

①特徴

　呼吸が阻害され血液中のガス交換ができなくなると、血中酸素濃度が低下し二酸化炭素濃度が上昇します。これにより、内臓など身体にとって重要な組織が機能障害を起こした状態を窒息といいます。

　鼻や口の閉鎖、異物による気道の閉鎖、溺死（できし）、空気中の酸素欠乏などで起こります。高齢者は、嚥下機能が低下しているため食べ物による窒息が多くみられます。また、脳梗塞や神経疾患の既往症がある人は、飲み込みが悪く、窒息することがあります。

▶窒息死
特に多いのが、餅による窒息死です。餅などの粘着性の強い物のほか、ご飯、肉、パン、蒟蒻（こんにゃく）などは喉に詰まりやすいため、注意が必要です。

②対応

　救急車を呼ぶより先に、すぐに適切な救急処置を行うことが大切です。激しい咳で気道に詰まっている物が出てくることもありますが、意識がある場合は、背部叩打法やハイムリック法、あるいはかき出しを行います。意識がない場合は、気道を確保して人工呼吸を行います。

6 異食

①特徴

　食べ物ではないものを食べ物と誤認して、口にしてしまうことを異食といいます。

　認知機能の低下、空腹感、ストレスなどが原因となります。異食の可能性が高い場合は、口に入れたら困る物を認知症の人の目に付くところに置かないことが原則です。

②対応

　何を口にしたかとその危険度、呼吸困難の有無、腹痛の有無などの状態観察を行います。なお、物によって身体に与える影響に違いがあるので、正しい対応方法を知っておくことが必要です。

　界面活性剤を含むシャンプーや石鹸（せっけん）などを飲み込んだ場合は、食道や胃への界面活性剤の刺激をやわらげるために水や牛乳を飲ませます。灯油やマニキュアを飲み込んだ場合は、食道を傷つける危険があるため、吐かせないようにします。いずれの場合も、その後、すぐに医療従事者に報告して指示を受けましょう。

　また、事故を未然に防ぐために、以下の点に注意します。
- 危険と思われる品物は片付け、目につくところに置かな

い。
- 間食になるような物を準備しておく。
- 異食の多い人の場合は、便を注意して観察する。

7 溺水

①特徴

溺水とは、水中に沈んでいたことを原因とする窒息のことで、死には至っていない状態をいいます。

浴槽内でののぼせ、転倒、血圧変動による意識障害などが原因します。

②対応

浴槽から引き上げるか、湯の栓を抜きます。体の水分を拭き、保温し、すぐに医療機関へ受診させます。バイタルサイン（第1節参照）のチェックをし、必要があれば救急車を呼びます。

●心停止・呼吸停止が起きたさいの救急蘇生(そせい)方法●

救急対応として、心肺蘇生とAED（Automated External Defibrillator）による対応の手順を知っておきましょう。

①反応の確認（成人の場合）

傷病者の肩を軽くたたきながら、「わかりますか」「大丈夫ですか」と声をかけます。反応がない場合は、周囲の人に救急通報（119番通報）とAEDの手配を依頼します。そして、胸部と腹部の動きを観察し、普段どおりの呼吸をしているか10秒以内に確認します。普段どおりの呼吸をしていない場合、心肺蘇生を行います。

▶AED
自動体外式除細動器と訳されます。電気ショックにより心臓の働きを取り戻すための救命機器です。駅や空港などで、設置が広がっています。

②心肺蘇生の開始

　仰臥位（第3節❶参照）に寝かせ、ただちに胸骨圧迫を行います。両手を重ね、胸骨の下半分（胸の中央付近）を1分間に100回程度の速度で圧迫します。

- 人工呼吸ができる場合、胸骨圧迫30回と人工呼吸2回を繰り返し行う。
- 胸が少なくとも5cm沈むように圧迫する。
- 中断する時間は最少にし、絶え間なく行う。

③AEDの使用

　AEDが到着したら、電源を入れます（蓋を開けると自動的に電源が入るものもあります）。以後、原則として、AEDの音声指示に従います。

- 右前胸部と左側胸部にパッドを装着する。
- AEDが電気ショックの必要性を判断する（その間、傷病者の体に触れないようにする）。
- 電気ショックが必要な場合、誰も傷病者に触れていないことを確認し、音声指示に従ってショックボタンを押す。

▶人工呼吸

口を付けるのがためらわれたり、血液や嘔吐物などにより感染危険がある場合は、胸骨圧迫のみを行います。

●心肺蘇生　　　●AED

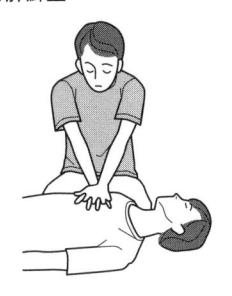

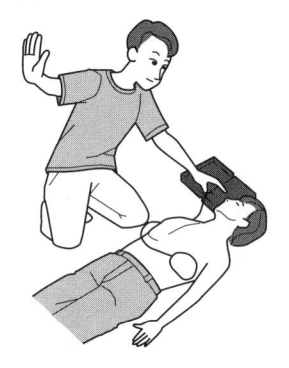

④心肺蘇生の再開

　AEDの使用後、すぐに胸骨圧迫を行います。救急車の隊員に引き継ぐまで、または、傷病者に呼吸や目的のある動作が認められるまで続けます。

3 症状に応じた体位

緊急時に誤った体位をとらせると、病状が悪化し、ときには死に至ることもあります。適切な体位を保つことが大切です。

　緊急時には、適切な体位を保つことにより苦痛をやわらげることができます。呼吸を楽にしたり、心臓の働きを助けることで、悪化を防ぐことにもつながります。

1 仰臥位（背臥位）

　仰向けに寝た状態で意識があるときの基本体位です。全身に傷があるときに適しています。嘔吐時は気道を閉塞することがあるため、この体位は適しません。

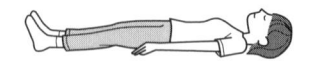

2 膝屈曲位

　仰臥位から、膝と上体を少し立てた体位です。腹部の緊張をやわらげ、腹痛や腹部をけがしたとき適しています。

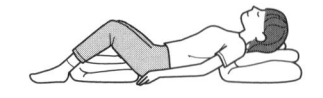

3 足側高位（ショック体位）

　仰臥位から、15～30cm程度足側を高くした体位です。脳・肺・心臓・肝臓・腎臓などの重要な臓器の血流を増やす効果があります。顔面蒼白時やショック時（第2節 2 参照）に適しています。

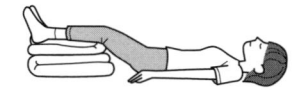

4 半座位（ファーラー位）

　仰臥位から、上体を少し起こした体位です。呼吸を楽にしたり、頭部に外傷を受けている場合に適しています。

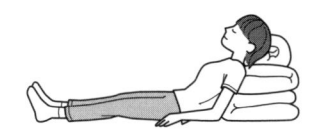

5 昏睡体位（シムス位）

　横向きに顎を少し突き出します。気道確保のために左側の腕を前に出し、肘を曲げて手の甲に顎先を乗せます。さらに、左側の膝を曲げ少し前に出して、体位を安定させます。吐物の誤嚥を防ぎ、意識のない人に適しています。

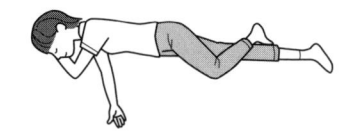

④ 行動・心理症状（BPSD）への対応

行動・心理症状の出現には、さまざまな要因が関係します。第３章第１節で述べたとおり、介護者の不適切な対応なども、マイナス要因（きっかけ）となります。

1 行動・心理症状への理解

第３章第１節で述べたとおり、行動・心理症状は、認知症という脳組織の障害によって知的機能が低下し、そこに、体調不良や不安定な心理状態が重なることで出現するといわれています。

適切な環境や適切なケアは、行動・心理症状を予防したり抑制したりします。反対に、不適切な環境や不適切なケアは、行動・心理症状を誘発することに気をつけなければなりません。

介護者の負担感が増大すると、高齢者虐待につながることもあります（第10章第６節参照）。対策としては、家族介護者間の協力体制を強化したり、支援グループの利用を促し、介護者間で協働します。また、社会資源を有効に活用する方法もあります。

行動・心理症状の出現に対し、「ダメです」「やめてください」と制止するのではなく、なぜそうするのだろうと考えてみます。そして、自分がその立場だったらどんな気持ちであるかと考えてみます。すると、認知症の人のメッセージが見えてくるでしょう。

以下に、行動・心理症状について、特徴と基本的な対応について説明していきます。

2 無関心

①特徴

　認知症が始まると、現在の自分と過去の自分がつながらない状況のなかで生活することになります。今までできていたことができなくなった不安、前後のつながりや経過が理解できない不安などが起こります。周囲からも、「今までできていたことがどうしてできないの」「さっきも言ったでしょう！」などと言われることで、自信をなくしてしまうことがあります。

　どうせできない、また失敗すると消極的になり、意欲が低下したり無関心になります。生活範囲が狭くなり、**閉じこもりがち**になってしまうこともあります。

②対応

　介護者が、本人が無理なくできそうなことを見つけて、「一緒にやりましょう」「お手伝いをお願いします」と誘ってみます。そして、「上手にできましたね」「よかったですね」「お手伝いいただいて助かりました」と、できたことを認め、ともに喜ぶようにしましょう。

　失敗しそうな場合は、介護者がさりげなくフォローすることが必要です。また、抑うつ気分が続き、何に対しても関心を示さない場合は、強制はせず、専門医に受診させましょう。薬物療法により、症状が軽快することもあります。

3 拒否

①特徴

　認知症高齢者の拒否には、食事、入浴、排泄（はいせつ）、服薬など

に対するものがあります。拒否の理由には、理解ができない、具合が悪い、自分の意思を思うように伝えられない、不安があるなどが考えられます。

介護者が不適切なケアをすると、認知症の人は、言葉をうまく伝えられないイライラとした気持ちから、攻撃や暴言へと発展することもあります。まずは、なぜ拒否しているのかを知ることが大切です。また、**拒否の表現方法は、一人ひとり違う**ことを理解してください。

②対応

原因はさまざまですが、以下のような対応をしてみましょう。

- **食事**…拒否がみられても、介護者は、あせらずゆったりした気持ちで対応します。食事の場所も含め環境面にも目を向け、どのような状況なら食べやすいかを考えましょう。また、食事は1日3回と決め付けずに量を減らして回数を増やしたり、本人の好みの物や本人の思い出がある郷土料理を提供したり、おにぎりやパンなど手でつかんで食べられる形状の物を提供するなどの工夫をします。
- **入浴**…誘導しても反応がないときは、時間をおいて再度声をかけてみます。また、介護者が交代して誘導を試みることも1つの方法です。
- **排泄**…本人の排泄パターンを知り、適切な時間に声をかけます。また、失敗しても叱ったりせずさりげなく処理をするなど、介護者が気持ちにゆとりをもって対応します。何より、相手の尊厳を大切にすることを心がけましょう。
- **服薬**…本人が好きな甘い飲み物や、プリンやゼリーなどに混入すると、飲むことがあります。ただし、薬

▶食事の工夫
それが食べ物であると認識されて、はじめて食べる行為に結びつきます。食事は、生命を維持するために行う栄養摂取ですが、単に食べる行為だけを目的にするのではなく、おいしく満足感につながる工夫をします。

▶排泄拒否の原因
尿意・便意がないにもかかわらず無理にトイレに誘導したり、プライバシーが守られない環境であることが拒否の理由と考えられます。

▶失禁があった場合
膀胱炎や前立腺肥大などが関係していることもあります。泌尿器科の医師に相談することも考えましょう。

は基本的には水か湯で飲むことになっているため、他の物に混入する場合は、必ず事前に医療従事者に相談しましょう。また、介護者の勝手な判断で薬をつぶしたり、カプセルから出して飲ませたりしないようにしましょう。

▶服薬拒否の原因
毒物であるという妄想があったり、味(苦味)・舌触り・においに抵抗があったり、錠剤が飲み込みにくいことなどが考えられます。

4 攻撃

①特徴

　第5章第2節でも述べましたが、特に認知症の初期の場合、今まで普通にできたことができなくなっている自分を自覚しています。できない自分を情けなく感じ、腹立たしく思うこともあるはずです。そうしたことを人から指摘されたら、穏やかではいられません。そのとき、攻撃性・衝動性がみられます。攻撃的行動には、身体的攻撃性と言語的攻撃性があります。それぞれの行動例は、以下のとおりです。

・**言語的攻撃性**…大声で叫ぶ、ののしる、癇癪(かんしゃく)を起こす、奇声をあげる
・**身体的攻撃性**…たたく、押す、ひっかく、物をつかむ、人をつかむ、ける、かむ

②対応

　大切なことは、認知症の人が安心できるような声かけや温かい眼差しをもって対応することです。また、ケア方法の見直しをすることが必要な場合もあります。

5 不穏

①特徴

　記憶障害や見当識障害が原因で、自分のいる場所がわからない、周囲の人が誰かわからないという場合に、**不安が強くなったり**、そわそわと歩きまわったり、じっとしていられないという心理状態になります。

②対応

　「ここにいていいんですよ」「ここにいてください」と安心させたり、「こちらの仕事を手伝ってください」とほかのことに注意を向けさせるとよいでしょう。

6 徘徊

①特徴

　徘徊とは、無目的に歩き回ることですが、実際は、何らかの理由が存在することが多いといえます。ただ本人がその理由を適切に説明できなかったり、歩く目的を忘れたりするので、周囲にはその行動が理解しにくいのです。一般的な徘徊の理由として、次のようなことが考えられます。

- **見当識障害**…現在の住居が自分の家であると認識できないので、転居前の家に帰ろうとします。
- **記憶障害**……探し物をしている間に、何を探しているのか忘れてしまうことがあります。
- **変化**…………環境の変化や特別なできごとがあると、気分が高揚し、じっとしていられず歩き回ります。あるいは、不安や緊張感が高まり1人でいることができず、そばにいてくれる

人を求めて歩き回る場合もあります。

②対応

　徘徊を無理に止めようとせず、本人の安全を確認しながら介護者が付き添います。疲労がみられたら、さりげなく座ったり休むよう促したり、お茶を勧めたりします。また、「洗濯物をたたむのを手伝っていただけませんか」など、別のことに注意を向ける方法も効果があります。

　予防として、玄関などの出入り口にアラームを取り付けて、外に出たことがわかるようにします。また、寄ると思われるところや近所の人に、本人を見かけたら連絡をしてくれるように頼んだり、本人の衣類に連絡先を付けて身元がわかるようにしておきます。近隣の人、警察、駅の職員など、地域の人々に協力を求めることが有効です。

7 妄想

①特徴

　妄想とは、現実にはないことを事実と確信することで、訂正不可能な誤った判断といえます。つまり、周囲がいくら否定しても、かたくなに思い込んでいる状況です。

　認知症の妄想の特徴は、**被害的な内容が多い**ことです。第3章第2節で述べた物盗られ妄想は、典型的なものでしょう。そのほか、「主人が浮気をしている」などの嫉妬妄想もあります。これは、「私は主人に見捨てられた」という不安感が「別の女性に主人をとられた」という思い込みに発展したものと考えられます。

②対応

　まず、十分に本人の話を傾聴します。訂正せず、本人にとっては事実であることを認め、共感的な態度で接することが大切です。また、妄想のきっかけになるような言動を本人に示さないよう、周囲が配慮することも大切です。

　妄想がみられたら、早い時期に専門医に受診しましょう。薬物療法によって、症状が緩和することもあります。

8 作話

①特徴

　作話は、事実と異なることを周囲に話すことです。知らない人が聞くと事実として感じます。欠落した情報を補ったり、生活をとりつくろうために起こる現象ですが、たいていは本人にとって都合のいい話になります。

　介護者が、作話に気づいて、嘘(うそ)をついたと指摘したり憤慨して、トラブルに変化することもあります。

②対応

　作話は、認知症の人にとっては真実なのです。嘘を指摘したとしても、効果がないばかりか、人間関係を悪化させることにもつながります。介護者は、否定せず、本人にとっての事実であると受容しましょう。

9 収集

①特徴

　収集は、認知症の人の強迫行為による癖(くせ)と考えることが

▶強迫行為
不安・恐怖・不快感を一時的に軽くしようとして行うもので、必要がないとわかっていても繰り返してしまう行為です。何度も手を洗ったり、何度も鍵をかけたか確かめたり、完全に同じように行わないと安心できないなどがあります。

できます。その物が手元にないと不安なので、見かけると持って帰ります。特に紙類が多く、スプーンなどの食器もあります。手当たりしだいに何でも集める人、生活の中で本人にとって大事な物だけを集める人がいます。記憶障害があるので、手元にたくさんあることは忘れていますから、同じものがどんどんたまってしまうのです。

②対応

　行動・心理症状には必ず原因や理由があり、収集にも意味があります。無理にやめさせたり、収集した物を取り上げたりせず、根気よく気長に言動を受け止めましょう。介護者の柔軟性が要求されます。

　なお、集めたものに対して執着がない人も多いですが、集めたものを処分する場合、本人に確認してから行うべきです。集めたことすら忘れる認知症の人の場合、収納スペースの許容量を超えたら、少しずつ処分するとよいでしょう。

10 昼夜逆転

①特徴

　生活リズムの乱れには、日常生活での心理的な問題が影響していることが多いといわれます。たとえば、生活環境の変化や親しい人との別れなどから不安や寂しさがつのり、寝つけないということが起こります。また、体の痛みやかゆみなどの体調不良で寝つけないという場合もあります。

②対応

　昼間の過ごし方を見直してみましょう。1日中テレビの

前に座っていることがないよう、日中活動を充実させ、適度な疲労を感じさせることが必要です。また、心地いい眠りにつけるよう、寝具や室内環境を整えましょう。就寝前の入浴や足浴も効果があるといわれています。なお、睡眠導入剤の使用は、ふらつきや転倒の原因になることもあるので、最終手段としましょう。

11 弄便（ろうべん）

①特徴

　認知症が高度になると出現することがあります。理由の1つに、おむつが汚れたのに介護者が気づかず、長時間放置した場合、お尻（しり）が気持ち悪いので取ろうとすることが考えられます。また、トイレの場所がわからず、廊下で排便してしまい、処理の方法がわからず、引き出しに入れたりすることもあります。水洗トイレの場合、水を流すことがわからず、途方に暮れて浮いている便を拾おうとするということも考えられます。

　認知症が高度になっても、自分の排泄物は恥ずかしいから人に見られたくない、汚いものだから見せてはいけないという気持ちが残っています。

②対応

　弄便は、排泄後の処理を介護者が適切に行うことで、防ぐことが可能です。

確 認 問 題

問1
意識障害についての記述のうち、正しい組み合わせを1つ選びなさい。

A 主な原因として、脳の血流障害、脱水、発熱等がある。
B 意識障害が起きたときの対処として、頭を冷やし上向きに寝かせる。
C 脳の意識をつかさどる機能が低下し、周囲の状況を正しく認識できなくなる。
D 意識障害が起きたときも、声かけ等の外部からの刺激に対して適切な反応を示す。
E 意識障害が起きたときも、医療従事者に報告をする必要はない。

① A・B　② A・C　③ B・C　④ C・D　⑤ D・E

問2
ショックについての記述のうち、正しい組み合わせを1つ選びなさい。

A 急激な血圧上昇が起こり、末梢血管への血液供給が減少する。
B ショック時も、意識混濁は起きない。
C 代表的な症状として、冷や汗、頻脈、呼吸数下降等がある。
D 原因として、大量出血、心不全や心筋梗塞、心理的動揺等がある。
E ショック時の対処として、呼吸しやすい安楽な体位をとらせる。

① A・B　② A・C　③ B・C　④ C・D　⑤ D・E

問 3
誤嚥についての記述のうち、正しい組み合わせを1つ選びなさい。

A 誤嚥性肺炎の場合、死亡することはない。
B 発熱や食欲がないといった症状が現れ、誤嚥性肺炎に気付くこともある。
C 食後の口腔ケアは、誤嚥予防と無関係である。
D 食物・水・唾液が気管に入ることを誤嚥という。
E 不適切な食形態・食事介助は、誤嚥と無関係である。

① A・B ② A・E ③ B・C ④ B・D ⑤ D・E

問 4
異食についての記述のうち、正しい組み合わせを1つ選びなさい。

A 通常、食べ物ではないものを食べ物と誤認して口にしてしまうことをいう。
B 原因として、認知機能低下、空腹感等がある。
C 予防として、口に入れては困る物には目印をつけて目につくところに置いておく。
D 少量の異食は問題ないので、少し食べるくらいなら自由にしておく。
E 呼吸状態の変化がなく吐き気等の症状がなければ、医療従事者に報告をする必要はない。

① A・B ② B・C ③ B・D ④ C・D ⑤ D・E

問5
妄想についての記述のうち、正しい組み合わせを1つ選びなさい。

A 妄想の特徴として、夜間に起きることが多い。
B 妄想への対応として、十分に利用者の話を傾聴することがある。
C 妄想とは、現実にはないことを事実と確信することによる訂正不可能な誤った判断といえる。
D 妄想への対応として、本人の言っていることを訂正し事実をしっかりと伝える。
E 妄想については、薬物療法によって症状が緩和することはない。

① A・B　② A・C　③ B・C　④ C・D　⑤ D・E

問6
認知症高齢者の行動・心理症状（BPSD）についての記述のうち、正しい組み合わせを1つ選びなさい。

A 作話は、記憶障害により忘れてしまったことに対し、つじつまが合うようにすることである。
B 作話への対応として、介護者は否定せず、本人にとって事実であるかどうか確認する。
C 弄便は、認知症が高度になると出現する。
D 弄便は、排泄行為後の処理を本人に行ってもらうことで防ぐことができる。
E 弄便は、おむつが汚れたのに本人が気付かず、長い間放置してあることが出現理由の1つとなる。

① A・B　② A・C　③ B・C　④ C・D　⑤ D・E

問7

認知症高齢者の行動・心理症状（BPSD）についての記述のうち、正しい組み合わせを1つ選びなさい。

A 収集癖のある認知症の人が集めたものを処分する場合は、本人の確認は必要ない。
B 徘徊は、理由もなく無目的に歩き回ることである。
C 収集癖は、認知症の人にみられる強迫行為と考えることができる。
D 昼夜逆転は、生活環境の変化には関係しない。
E 昼夜逆転を予防するには、就寝前の入浴や足浴が効果がある。

① A・B　② A・C　③ B・C　④ C・E　⑤ D・E

第 6 章　日常生活支援

解答と解説

問1

解答　→　② A・C

解説　A　脱水による血液濃縮、多血症、血圧低下によって脳血栓が生じ、意識障害を起こすことがある。
　　　B　衣服を緩め、気道確保のために左側の腕を前に出し、肘を曲げて手の甲に顎先を乗せた状態で寝かせる。
　　　C　声かけなどの刺激に対して適切に反応することができなくなる。
　　　D　発作時には、外部からの刺激に対して反応しない。
　　　E　医療従事者に報告をする必要がある。

問2

解答　→　⑤ D・E

解説　A　急激な血圧低下が起こり、末梢血管への血液供給が減少する。
　　　B　脳機能不全の症状として、意識混濁が起きる。
　　　C　冷や汗、頻脈のほか、呼吸数上昇等がある。
　　　D　大量出血、心不全や心筋梗塞、心理的動揺のほか、アナフィラキシーショックもある。
　　　E　頭部を低くし下肢を上げて、呼吸しやすい体位をとらせる。呼吸状態等のバイタルサインを確認する。

問3

解答　→　④ B・D

解説　A　誤嚥性肺炎で死亡する例もある。
　　　B　元気のない原因を確認することで、誤嚥性肺炎に気付くこともある。
　　　C　食後の口腔ケアにより、口腔内の細菌の繁殖を防ぎ誤嚥予防となる。
　　　D　食べ物は細かく刻んだり、汁物にとろみを加えるなどして、気管に入ることを予防する。
　　　E　不適切な食形態や不適切な食事介助が、誤嚥につながることもある。

問4

解答 → ① A・B

解説　A　判断力の低下や記憶障害により、食べ物ではないものを口にしてしまう。
　　　B　認知機能低下、空腹感のほか、ストレスも原因となる。
　　　C　口に入れては困る物は、目につくところに置かない。
　　　D　事故を未然に防ぐために、食べさせないように注意する。
　　　E　医療従事者に報告をする必要がある。

問5

解答 → ③ B・C

解説　A　被害的な内容が多いことが特徴である。
　　　B　本人の話に耳を傾け共感を示すことで、一時的に落ち着くことがある。
　　　C　周囲が否定しても、かたくなに思い込んでいる。
　　　D　否定や訂正をすると、かえって悪化させることになる。
　　　E　薬物療法によって症状が緩和することもある。

問6

解答 → ② A・C

解説　A　判断力の低下や記憶障害のため、事実を誤って認識したり、忘れていることから起きる。
　　　B　否定せず、本人にとって事実であると受容する。
　　　C　自分の排泄物は恥ずかしいから人に見られたくないといった心理が背景にあると考えられる。
　　　D　排泄行為後の処理を介護者が適切に行うことで防ぐことができる。
　　　E　おむつが汚れたのに介護者が気づかず、長い間放置してあることが出現理由の1つとなる。

> 問7

解答 → ④ C・E

解説
A 処分する場合は、本人の確認が必要である。
B 実際には、何らかの理由が存在することが多い。
C 叱ったり止めるのではなく、本人の行動をよく観察し、収集の仕方やしまう場所を確認する。
D 生活環境の変化から不安や寂しさがつのり、夜寝つけずに昼夜逆転が起こることもある。
E 就寝前の入浴や足浴は、全身の血液循環をよくし、適度な睡眠効果がある。

第7章

認知症への薬物療法

1 薬物療法の基本

認知症高齢者への対応にあたり、適切なケアを提供すると同時に、必要な薬物療法を行うことが大変重要です。

現在、認知症を完治させる薬剤は存在しません。しかし、認知症の進行を緩やかにする薬剤や、さまざまな行動・心理症状（BPSD）（第3章第1節参照）を抑える薬剤は存在し、すでに使用されています。

1 認知症の中核症状に対する薬物療法

日本では、アルツハイマー型認知症に対する薬剤としてさまざまな成分・形状の薬剤が認可されています。

塩酸ドネペジルを成分とした薬剤は、先発品としてアリセプトが販売されていましたが、最近では後発医薬品（ジェネリック医薬品）も販売されています。また、口から摂取する経口剤だけではなく、皮膚を通して吸収させる経皮吸収型製剤も販売されています。

アルツハイマー型認知症に用いられる代表的な薬剤は、表7-1のとおりです。

服薬開始に伴い、吐気・嘔吐、興奮状態などの副作用がみられることがあります。症状がひどい場合は、専門医を受診しましょう。

また、薬剤の効果は個人差があります。服用後、すぐに状態が変化するものではありません。継続的に服用することで、「最近、表情が落ち着いた」「混乱することが減っ

▶経口剤の形状
錠剤、散剤、顆粒剤、カプセル剤などがあります。

▶散剤と顆粒剤
散剤と顆粒剤は、錠剤やカプセルに比べて人体への吸収が早い薬剤です。なお、散剤は粉末状の薬剤で、飛散したり飲みにくいという欠点がありますが、顆粒剤は粒状の薬剤で、散剤の欠点を補っています。

▶経皮吸収型製剤
皮膚に貼付して薬物を吸収させます。作用部位に貼付する局所性製剤と、毛細血管を通じて作用部位に送達させる全身性製剤とがあります。

た」といった変化が感じられることが多いようです。効果が感じられないからといって、介護者の判断で薬剤を中断しないことが大切です。

表7-1　アルツハイマー型認知症に使用される代表的な薬剤

主成分	主な商品名	対象	剤形
塩酸ドネペジル	アリセプト（先発品）および後発医薬品（ジェネリック医薬品）	軽度～高度アルツハイマー型認知症患者	錠剤（フィルムコート）、口腔内崩壊錠（OD錠）、内服ゼリー剤、顆粒剤
ガランタミン臭化水素酸塩	レミニール	軽度および中等度アルツハイマー型認知症患者	錠剤（フィルムコート）、口腔内崩壊錠（OD錠）、内服液
リバスチグミン	イクセロンパッチ	軽度および中等度アルツハイマー型認知症患者	経皮吸収型製剤
メマンチン塩酸塩	メマリー	中等度および高度アルツハイマー型認知症患者	錠剤（フィルムコート）

▶口腔内崩壊錠
口の中で少量の水や唾液だけで溶ける錠剤です。

▶レカネマブ（商品名：レケンビ®）
アルツハイマー病の原因に働きかけて病気の進行自体を抑制する薬として、2023年に承認されました。

「アリセプト」は、2014年9月に「レビー小体型認知症」に関する効能・効果の追加承認を取得し、アルツハイマー型認知症及びレビー小体型認知症における認知症症状の進行抑制に効果が認められています。

2 認知症の行動・心理症状に対する薬物療法

　塩酸ドネペジルの服用で、行動・心理症状が軽減されることも多いようです。そのほか、表7-2のような抗不安薬、睡眠剤、抗うつ剤、抗精神病薬などが使われます。

薬剤を使用するさいには、副作用に注意します。塩酸ドネペジルを高齢者に使用するさいは、代謝機能の低下や薬物の蓄積効果などを十分に検討したうえでの使用が求められます。

　なお、抗精神病薬・抗不安薬・睡眠導入剤等は、歩行障害、転倒、意識障害、認知機能の悪化などを引き起こすことがあるため、注意しましょう。

表7-2　行動・心理症状に使用される代表的な薬剤

症状	薬剤名（商品名）	特徴・注意
幻覚・妄想	・抗精神病薬（ルーラン、セロクエル、リスパダールなど） ・塩酸チアプリド（グラマリール）	レビー小体病の場合は、パーキンソン症状が出現しやすいので、使用を控えるべき薬剤もある。
興奮・攻撃	・抑肝散 ・塩酸チアプリド（グラマリール）	抑肝散は漢方薬で、副作用が少なく服用しやすい。
多動・徘徊	・塩酸チアプリド（グラマリール） ・SSRI（パキシル、ルボックス、デプロメール、ジェイゾロフト） ・SNRI（トレドミン）	・低用量から開始し徐々に増量する。 ・副作用として、吐き気・嘔吐、眠気、認知機能の悪化がみられることがある。 ・パーキンソン症状が出現することがある。
うつ症状	・SSRI（パキシル、ルボックス、デプロメール、ジェイゾロフト） ・SNRI（トレドミン）	・低用量から開始し徐々に増量する。 ・副作用として、胃腸への負担、吐き気・嘔吐、眠気、認知機能の悪化がみられることがある。
不眠	・塩酸ゾルピデム（マイスリー） ・ゾピクロン	あまり強くない短時間型の作用に分類され、副作用もあまりみられない。

3 認知症高齢者の服薬管理のポイント

　以下に、服薬にあたっての注意点を述べます。特に、独居高齢者の場合は、訪問介護事業者や訪問看護ステーションとの連携が必要です。

①量・回数
　医療従事者に確認し、必要最小限の投与量と服用回数にします。薬剤の数が多い場合、併せて服用してよいかを医師に確認します。なお、食後に服用する薬が多い場合、勝手な判断で時間をずらしたりしないようにします。

②服用時
　1人で服薬させず、介護者が確認することが必要です。また、水分が少ないと、散剤や顆粒剤は喉(のど)の粘膜に付着し、炎症の原因になることがあります。水分を十分摂取するようにしましょう。飲み薬はコップ1杯のお水で飲むのが原則です。また薬に合った正しい飲み方が大切です。

③管理・保管
　残薬の確認や薬剤の保管は介護者が行いましょう。特に、インスリン注射液、座薬、点眼薬など冷所保存の必要があるものは、常温に放置しないよう気をつけましょう。

確認問題

問1

認知症高齢者への薬物療法の目的について、正しいものを2つ選びなさい。

A　認知機能の改善
B　行動・心理症状（BPSD）の軽減
C　日常生活動作の改善
D　中核症状の治療
E　生活の質の向上

問2

認知症への薬物療法についての記述のうち、正しい組み合わせを1つ選びなさい。

A　認知症に対する薬剤として、後発医薬品が存在する。
B　塩酸ドネペジルの薬剤の形状は錠剤のみである。
C　塩酸ドネペジルの服薬により、副作用がみられることもある。
D　薬剤の効果の実感は個人差があるが、服用後すぐに状態の変化が感じられることが多い。
E　薬剤が足りなくなってきたら、受診するまで服薬をやめる。

① A・B　　② A・C　　③ B・C　　④ C・D　　⑤ D・E

問3
薬物療法について、正しい記述の数を選びなさい。

A 適切なケアを提供すると同時に、必要な薬物療法を行うことが大事である。
B リバスチグミンを主成分とした薬剤は、脳血管性認知症に対する薬として認可された。
C 塩酸ドネペジルを服用することにより、認知症の中核症状が完治することもある。
D 薬剤を服用することにより、行動・心理症状が軽減されることもある。
E 服用後、効果が感じられないときは、介護者の判断で服薬を中止する。

① 5つ　② 4つ　③ 3つ　④ 2つ　⑤ 1つ

問4
認知症高齢者の服薬管理についての記述のうち、正しい組み合わせを1つ選びなさい。

A 毎食後に服用する薬剤が多い場合は、時間をずらして飲むようにする。
B 服薬時、水分が少ないと薬剤が喉に付着し喉の炎症の原因になることがあるので、水分を十分摂取する。
C 薬物療法は自立支援なので、服薬は必ず本人1人で行い、介護者の確認は必要ない。
D 薬剤の数は多いほうが効果があるので、同じ成分・同じ薬効の薬であれば、異なる薬剤を併せて服用してよい。
E 管理・保管は介護者が協力し、特に冷所保存の必要があるものは常温に放置しないように気をつける。

① A・B　② B・C　③ B・E　④ C・D　⑤ D・E

解答と解説

問1

解答 → B・E

解説
A 記憶障害・見当識障害などの症状を穏やかにしたり、進行を抑制するために薬剤を用いる。
B 徘徊・暴力行為・幻覚等の行動・心理症状（BPSD）を軽減するために薬剤を用いる。
C 日常生活動作（ADL）は、移動・食事・排泄等の基本的な行動であり、薬剤で改善するものではない。
D 認知症の根本的な治療は、薬剤では困難である。
E 適切な薬剤の使用で周辺症状が軽減し、穏やかな生活を取り戻し、生活の質の向上が期待できる。

問2

解答 → ② A・C

解説
A 塩酸ドネペジルを成分とした後発医薬品などが認可されている。
B 錠剤（フィルムコート）のほか、口腔内崩壊錠（OD錠）、内服ゼリー剤、顆粒剤がある。
C 吐気や嘔吐などの副作用がみられることもある。
D 服用後すぐに状態の変化が感じられるものではない。
E 残薬を確認し、医療従事者に相談するなどして不足する前に対応する。

問3

解答 → ④ 2つ（A・D）

解説
- **A** 認知機能障害の進行を抑制したり、周辺症状を軽減させるために、薬物療法を行う。
- **B** リバスチグミンを主成分とした薬剤は、アルツハイマー型認知症に対する薬剤として認可された。
- **C** 現在、認知症の中核症状を完治させる薬剤は存在しない。
- **D** 塩酸ドネペジルや抗不安薬、睡眠剤などが使用される。
- **E** 効果が感じられないからといって、介護者の判断で服薬を中止してはならない。

問4

解答 → ③ B・E

解説
- **A** 時間はずらさず、一度に服用する。
- **B** 潰瘍(かいよう)になることもあるため、水分は十分にとる。
- **C** 服薬したか、介護者が確認することが必要である。
- **D** 異なる薬剤を併せて服用すると副作用が出やすくなるため、医師の指示に従って使用する。
- **E** 薬剤は湿気、光、熱によって影響を受けやすいため、きちんとふたを閉め、直接日光が当たらず暖房器具から離れた場所に保管する。特に、インスリン注射液、座薬、点眼薬などは、冷所保存が必要である。

第8章

認知症への非薬物療法

1 非薬物療法の基本

第7章で述べたとおり、薬物療法が必要な場合もありますが、薬物以外の対処方法もあります。認知症に対する非薬物的療法の目的としては、生活の活性化、楽しい時間・感情の体験、コミュニケーション能力の促進などがあります。

1 非薬物療法の目的と効果

生活の活性化を図るためには、まず、規則正しい生活が大切です。規則正しい生活をすることで、睡眠障害や行動障害の改善につながります。

さまざまな活動を通して、楽しい時間・感情の体験をすることにより、不安やイライラ感が減少し、徘徊(はいかい)等の行動も少なくなります。また、ゲームや作業、創作活動を通じて、コミュニケーション能力を促進します。普段の生活にはない感情の動き、心の動きを体験でき、自分自身の現在を表現し、ほかの人とよく交流することができるようになります。

さらに、認知症高齢者の精神機能を活発化させ、自発性・集中力・意欲を向上させる効果があります。

言葉によるコミュニケーションが障害されていることが多い認知症高齢者ですが、活動を通じた表現により本人の心境を理解することができる場合もあります。

2 非薬物療法の種類と実施手順

非薬物療法は、認知症高齢者に対し、精神療法や心理・社会的アプローチを行うことと考えられています。

非薬物療法は、①別の対象者のために考案されたものが

▶心理・社会的アプローチ
米国精神医学ガイドラインによると、①行動療法アプローチ、②認知機能へのアプローチ、③感性へのアプローチ、④レクリエーション療法の4つに分類されます。

認知症高齢者へ用いられるようになったもの（音楽療法など）、②高齢者全般のために考案されたものが認知症高齢者へ用いられるようになったもの（回想法など）、③認知症高齢者のために考案されたもの（リアリティオリエンテーション、バリデーションなど）、④その他（園芸療法、化粧療法、メモリートレーニングなど）があります（第2節参照）。

　非薬物療法を効果的に行うため、第5章第4節で述べた**ケアマネジメントのプロセス**が有効です。プロセス（手順）は、①アセスメント、②目標の設定とケアプランの作成、③ケアプランの実施、④評価となります（表8−1）。

表8−1　非薬物療法の実施手順

プロセス	内容
アセスメント	①対象者を決定する。 ②対象者の状態像を把握する。
目標の設定とケアプランの作成	③援助の目的は何かを明確にし、具体的な目標を決定する。 ④具体的な手順・方法、予想されるアクシデントへの対処方法を考え、計画書を作成する。
ケアプランの実施	⑤適切な時期に計画書に沿って実施する（安全・安楽を重視し、状況変化に臨機応変な対応を行う）。
評価	⑥実施までのプロセスも含め、評価（集団としての評価・参加者個々の評価）を行う。 ⑦アプローチの効果を個々の生活場面で検証する。 ⑧結果（反省点・改善点）を記録にまとめ、メンバーで共有し、今後に活かす。

　目標を設定するときは、生活の質の向上と、尊厳のある生活の維持を大切にします。

　行動・心理症状（BPSD）（第3章第1節参照）が出現し、介護が大変であるからといって、介護者が一方的なケアを行うことがないようにしましょう。

▶**身体拘束・過剰な薬物使用**
介護保険指定基準の身体拘束禁止規定（厚生労働省令）により、介護保険施設等においては「緊急やむを得ない場合」を除き、行動を制限する行為としての薬物の過剰使用などを含め、身体拘束をしてはならないことになっています。

2 非薬物療法の方法と留意点

障害を健康な状態に回復するという狭義のリハビリテーションは、非薬物療法の1つとされています。音楽療法、回想法、リアリティオリエンテーション、バリデーション、園芸療法などがあります。

1 非薬物療法の特徴と効果

①音楽療法
- **特徴**…音楽を演奏したり鑑賞することにより、心身のリラクゼーション、身体のリハビリテーション、健康回復の効果を得ます。医療とは区別される代替医療の1つです。
- **方法**…歌唱・楽器演奏などを行う**能動的音楽療法**と、音楽鑑賞などの**受動的音楽療法**があります。なお、能動的音楽療法も、あくまで方法であり、上手に歌唱・演奏することをめざすものではありません。
- **効果**…情緒の安定や抑うつ症状の改善、攻撃性や興奮性を鎮（しず）めるなどの効果があります。治癒（ちゆ）力はないため、重大な疾患（しっかん）の治療法として用いられることはありません。しかし、幸福感や生活の質を高めるため、多くの症状の改善に効果を上げています。

②回想法
- **特徴**…1960年代にアメリカで開発され、1970年代以降、各国で活用されるようになりました。五感に働きかけるアプローチで、認知症高齢者だけでなく、一般高齢者などにも広く用いられています。
- **方法**…認知症高齢者が懐かしい情景を思い出すきっかけ

として、多様な小道具や材料を使用します。**グループ回想法と個人回想法**があります（表8-2）。
- **効果**…グループ回想法、個人回想法それぞれに、表8-2の効果があります。介護者にとっても、日常ケアに活かせる情報を発見できる効果があります。

表8-2　グループ回想法と個人回想法

	グループ回想法	個人回想法
方法	季節の行事（豆まき・ひな祭り・七夕など）や、昔なじみの行事（田植え・稲刈り・餅つきなど）を材料にするのが一般的。	個人の生活史の振り返り（ライフレビュー）により、子育てや旅行の思い出、社会人として社会貢献してきたことなどを振り返る。
効果	笑顔が増えたり穏やかになるなどの情緒の安定や、他者との交流の促進、興味の拡大などの効果がある。	表情が豊かになり、コミュニケーションも活発になってくるという効果がある。また、感情の安定や自尊心の回復もみられるようになり、自信と生活の安定につながっていくといった効果もある。

③リアリティオリエンテーション（RO）
- **特徴**…1950年代にアメリカで開発され、1970年代以降、各国で活用されるようになりました。見当識訓練、現実見当識訓練とも呼ばれます。
- **方法**…介護者が、「今日は○○年○月○日ですよ」「ここは○○（施設名など）ですよ」「今は午後の○時ですよ」というように、現在の見当識に関わる情報を機会あるごとに伝えます。情報により、認知症高齢者は、自分の居場所を確認し、安心して過ごすことができるといわれています。
- **効果**…認知機能の向上の効果があるといわれています。

▶ROの注意
認知症高齢者に対し、間違ったことを直接的に否定するような対応や情報は、ますます混乱させることになりかねないということに注意する必要があります。

④バリデーション
- **特徴**…1960年代にアメリカのフェイルによって提唱されました。認知症の人とのコミュニケーションを

行うためのセラピーの1つです。
- **方法**…見当識障害の程度により4段階に分け、それぞれに適した言語または非言語コミュニケーションを行います。共感と尊敬の念をもって関わります。共感と受容がまず大事な原則となり、介護者は評価や批判、修正や訂正を行いません。そのなかで信頼関係を深めていきます。具体的には、以下の手法を用います。
    - センタリング（相手に集中する）
    - 事実に基づいた言葉を使う
    - リフレージング（本人の言うことを繰り返す）
    - 極端な表現を使う
    - 反対のことを想像する
    - 過去に一緒に戻る
    - 真心をこめてアイコンタクトをする
    - あいまいな表現を使う
    - はっきりとした低い優しい声で話す
    - ミラーリング（相手の動きや感情に合わせる）
    - 満たされていない欲求に目を向ける
    - 好きな感覚を用いる
    - タッチング（相手に触れる）
    - 音楽を使う
- **効果**…バリデーションの目標は、**認知症の人とのコミュニケーション**です。認知症の人は、精神的な安定と自尊心の満足を得られます。

⑤園芸療法
- **特徴**…生活のリズムを整えたり、意欲を向上させたり、対人関係を活性化させることなどを目的として導入されます。

- **方法**…植物を育てていく過程を体験します。精神科の領域や対人関係など多方面に効果が実証されているので、施設などで多く行われています。
- **効果**…自然のなかに身を置き、土や植物をさわることが、心を和ませ穏やかにします。農作業は、指先などのリハビリテーションにつながるとも考えられています。また、農作物を収穫し、収穫した人たちと味わうことも、大きな楽しみや喜びになります。

⑥化粧療法
- **特徴**…感情表現や生活意欲の向上などを目的としています。特に、高齢者や認知症の人を対象とする施設やデイサービスなどで、女性利用者に行われるようになり、プログラムに取り入れているところも増えてきています。
- **方法**…スキンケアを中心とし、クレンジングや指圧法ハンドマッサージを行います。また、メイクでは、マニュキュアやリップなどのメイクアップや眉毛カットなども行います。
- **効果**…指圧法ハンドマッサージなどは、リラクゼーションの効果があり、血行がよくなり肌が活きいきとし、女性だけでなく男性にも喜ばれます。特に、化粧をしてきれいになった自分が鏡に映ることで、気持ちが活きいきとし、生活意欲の向上や自信の回復にもつながるといわれています。また、リハビリテーションに参加する気持ちになるなどの効果も出てきています。

⑦メモリートレーニング
- **特徴**…記憶過程の活性化と生活障害の緩和を目的として

▶化粧療法のリハビリテーションの効果
化粧は、指先を細かく動かすだけでなく、視覚(鏡の中で変化する自分を見たり、きれいな色を見る)、聴覚(パフをたたく音を聞いたり、化粧水の瓶を振る音を聞く)、触覚(ブラシに触れたり、マッサージを体感する)、嗅覚(化粧品の香りをかぐ)など、味覚以外のあらゆる感覚を使うため、脳の活性化に役立ちます。なお、『整容介護コーディネーター試験公式テキスト』も参考になります。

います。初期のアルツハイマー型認知症治療の1つとして、**認知リハビリテーション**があります。
- **方法**…日めくりカレンダーを用いて日時や予定を確認したり、外出時に持っていくものを1つの箱に入れ忘れ物がないようにし、記憶を強化します。
- **効果**…もの忘れや失敗が減るため、本人も家族も穏やかな気持ちで過ごせるようになります。

2 非薬物療法の留意点

　非薬物療法を行うにあたり、まず、コミュニケーションを通じて、本人との信頼関係を構築することが必要です。
　上記■で述べた各種の非薬物療法を準備・計画し、実施していく介護者は、本人の人格を総合的に捉え、尊敬の念をもち、その人らしさを中心において対応することが求められます。留意点は、以下のとおりです。
- 自分の価値で判断しない。
- 利用者の話を受容する。
- 相手に十分な関心をもっていることを姿勢で示す。
- 相手のペースに合わせる。
- 相手が今感じている気持ちを大切にする。
- 事実と違う話でも否定・訂正はしない。
- 相手の話をさえぎらない。
- 秘密を守る。
- 話すことを無理強いしない。
- 相手の表情や語調にも注目する。

　音楽療法士など、施術にあたっての専門職はもちろんのこと、介護者同士（家族、介護スタッフ、ボランティアなど）の情報交換も欠かせません。

▶**非薬物療法の理解**
各種の非薬物療法を、施設や専門機関内だけでなく、地域や世代間の交流に広めていくことも、認知症ケア指導管理士に求められる役割の1つです。

確認問題

問1
非薬物療法の実際について、正しい記述を2つ選びなさい。

A　バリデーションは、認知症高齢者だけでなく高齢者全般に用いられ、懐かしい情景を思い出すとき、きっかけとして多様な小道具や材料を使用する。
B　音楽療法の目的は、気分や表情の変化、自信の回復が主なものであるが、男性の場合は、効果が低いといわれている。
C　リアリティオリエンテーションは、対象者を見当識障害の程度により4段階に分け、それぞれに適した言語または非言語コミュニケーションを行う。
D　メモリートレーニングのうち、初期のアルツハイマー型認知症治療の1つとして認知リハビリテーションがあり、記憶過程の活性化と生活障害の緩和を目的とする。
E　園芸療法は、育ちの過程をともに過ごすことで生活リズムが整い、適度な疲労感をもつことで安眠を促し、食欲も増進する効果があるといわれている。

問2
非薬物療法の特徴について、正しい記述を2つ選びなさい。

A　施術者を選ばないでできる療法である。
B　介護者やボランティア等の情報交換は必要ない。
C　すべて認知症高齢者の自立を促す能動的な療法である。
D　介護者と認知症高齢者の相互のコミュニケーションと信頼が必要である。
E　リハビリテーションとの境界が不明瞭である。

問3

高齢者の心理・社会的アプローチとして展開されている方法について、該当するものを3つ選びなさい。

A　回想法
B　バリデーション
C　モニタリング
D　リアリティオリエンテーション
E　アドミニストレーション

問4

非薬物療法についての記述のうち、正しい組み合わせを1つ選びなさい。

A　音楽療法の効果として、生活意欲が向上することで、重大な疾患を治療できることがあげられる。
B　回想法は、認知症高齢者にのみ用いられる。
C　リアリティオリエンテーションでは、現在の見当識に関わる情報を機会あるごとに認知症高齢者に伝える。
D　回想法は、関わった介護者にとっても、認知症高齢者への尊厳の念を深めたり、日常ケアに活かせる情報の発見等の効果がある。
E　メモリートレーニングをすることにより、BPSDを完治できる。

①　A・B　　②　A・C　　③　B・C　　④　C・D　　⑤　D・E

解答と解説

問1

解答　→　**D・E**

解説　A　バリデーションは、アルツハイマー型認知症もしくは類似する認知症の人を対象とし、見当識障害の程度により4段階に分け、それぞれに適した言語または非言語コミュニケーションを行うものである。

　　　B　音楽療法の効果は、情緒の安定や抑うつ症状の改善、攻撃性や興奮性をしずめるなどが主なものである。

　　　C　リアリティオリエンテーションでは、認知症高齢者に現在の見当識に関わる情報を機会あるごとに伝える。

　　　D　外出時に持っていくものを1つの箱にまとめ、忘れ物がないように工夫するなどがある。

　　　E　自然のなかに身を置き、土や植物に触れることで、心を穏やかにする効果がある。

問2

解答　→　**D・E**

解説　A　施術者（専門家）は誰でもよいというものではなく、認知症高齢者との信頼関係などが問われる。

　　　B　介護者やボランティア等の情報交換は必要である。

　　　C　能動的なものばかりでなく、受動的な療法もある。

　　　D　コミュニケーションを通して、介護者と利用者の信頼関係を築ける。

　　　E　狭義のリハビリテーションは、非薬物療法の1つと位置づけられる。

> **問3**

解答　→　**A・B・D**

解説　A　認知症高齢者だけでなく、一般の高齢者にも行われ、五感に働きかけるアプローチである。
　　　B　アルツハイマー型認知症などの人に用いられ、対象を見当識障害の程度により4段階に分けケアを行う。
　　　C　モニタリングは、ケアにあたり、利用者の生活が目標に向かっていい変化をみせているか、利用者がケアや日常生活に満足しているか、定期的に確認することである。
　　　D　認知機能に障害がある人への援助を行うもので、見当識訓練または現実見当識訓練とも呼ばれる。
　　　E　アドミニストレーションとは、社会福祉を合理的・効率的に進める方法のことである。

> **問4**

解答　→　④　**C・D**

解説　A　音楽療法の効果として、情緒の安定や抑うつ症状の改善があげられるが、重大な疾患(しっかん)の治療としては用いられない。
　　　B　認知症高齢者だけでなく、高齢者全般に用いられる。
　　　C　情報は、「その部屋は違います！」といった否定的なものではなく、「○○さんの部屋は、赤い花のマークが付いた部屋です」などと伝える。
　　　D　個人回想法とグループ回想法があり、情動が安定したり表情が明るくなる効果がある。
　　　E　行動・心理症状（BPSD）を完治することはできないが、本人・家族が穏やかな気持ちで過ごせるようになる。

第9章

家族への支援

1 家族介護の現状

認知症の人を介護する家族は、さまざまな負担を抱えながら毎日を送っています。一般的には、身体的負担・精神心理的負担・経済的負担・社会的負担と表現されます。

いつまで続くのか終わりの見えない介護生活のなか、認知症の症状は進行し、負担感は増すばかりといえます。介護する家族自身も年齢を重ね、自分の健康状態に不安を覚えるなどします。家族介護者の感じる負担には、大きく以下の4点があげられます。

▶健康状態の不安
老老介護が多くなった昨今、自らの健康不安が介護負担の要因につながるケースも多くみられます。

1 身体的負担

失禁する、不潔行為をする、目を離すといなくなる、異食をする、物を盗られたと言う、同じことを何度も聞く――そのようなことが昼も夜も続き、介護は24時間気の休まるときがありません。身体も心も休まらない状態で、家族介護者は疲れきってしまいます。

2 精神心理的負担

認知症の人のなかには、食欲が旺盛になったり、冬でも薄着でいたりと元気そうに見える一方、家族を振り回す言動がひどくなる人もいます。このような状態のなか、家族介護者は、常に「いつまで続くのだろう」といった不安を抱えることになります。

また、家族介護者の日々の苦労が周りにわかってもらえないということもあります。それどころか、「ご飯を食べさせてもらえない」など、認知症の人が近所の人や親戚に言い回ると、聞いた人はその言葉を信じてしまい、家族介護者を責めたり非難したりすることさえあるのです。家族介護者は、相談相手もいなく、苦しみをわかってくれる人もいないという孤立無援の思いになります。

3 経済的負担

　本人・家族がサービスの利用を検討するとき、経済的理由で実行できないことがあります。
　たとえば、糖尿病、慢性腎不全、心疾患、癌などの疾患は、早期発見や早期予防の観点から訪問看護を利用したいと考えても、費用の負担が重くて利用できないときもあります。

4 社会的負担

　家族のなかに認知症の人がいると、毎日の生活が混乱します。朝起きて、家族で食事をして、それぞれ働きに出たり学校へ行ったりし、夜は家で団欒し、風呂に入って寝るといった、通常の生活が困難となります。共働き家庭、子育て中の家庭、家族に病人がいる家庭などは、いっそう混乱が増します。

2 家族支援の基本

家族介護者の負担を軽減し、家族介護者が介護しやすい環境をともに考え整えていくことも、認知症ケア指導管理士をはじめ介護職の役割です。

1 家族介護者の悩み

第4章第2節でも述べましたが、厚生労働省の『平成22年国民生活基礎調査』によると、女性が要介護者・要支援者と同居している家族介護者の69.4％を占めています。また、続柄別には、多い順に、配偶者25.7％、子20.9％、子の配偶者15.2％となっています。

介護負担の感じ方は、家族介護者のもつ条件にも左右されるといわれます。介護負担と性別・年齢・続柄等との関連には、一致した見方はないといわれていますが、不安感に関しては、男性より女性のほうが強いようです。

まずは、家族介護者の声を聴き、その思いを受け止めることが大切です。そして、認知症の人を支える負担を心身両面から理解し、家族介護者の負担を少しでも軽くするため、知識的サポート・技術的サポート・心理的サポートを提供します。

以下、家族介護者への支援のポイントを述べます。なお、支援の提供の前には、**アドボケイトの宣言**と**インフォームドコンセント**の実行が必要です。それぞれについては、第4章第2節で確認してください。

▶家族介護者の負担
・認知症という病気そのものがよくわからないので、対応に困る。
・自分の時間が確保できないため、つらい。
・身体的な負担が大きい。
・介護を手伝ってくれる人がいない。
・相談する人がいない。
・経済的不安がある。

2 介護環境の調整

　家族介護者が、無理をせず認知症の人と日常生活（在宅生活）を送ることができる環境を整えていきましょう。第5章第4節で述べた**ケアマネジメント**が有効です。
　まず、本人と家族を取り巻く環境（家族関係・地域環境・住居環境・経済状態など）を**アセスメント**します。
　次に、本人と家族の気持ちや希望を受け止め、**ケアプランを作成**し、**実際の支援**にあたります。
　フォーマルサービスや**インフォーマルサービス**（第10章参照）を上手に組み合わせることも、在宅での介護を継続していくためのポイントになります。家族の相談に乗り、必要な情報提供を行い、ともに考える姿勢で支援していきましょう。

3 家族への接し方

　第1節で述べたとおり、家族介護者は、24時間365日介護を繰り返しています。介護負担から、心身へのストレスや社会的孤立へと追い込まれることもあり、自らの健康を害することさえあるのです。
　認知症ケア指導管理士は、認知症の人本人を中心におくとともに、本人のみに目を向けるのではなく、介護する家族にも常に目を向けていくことが大切です。以下にあげる点に留意して対応することが望まれます。

①家族介護者の感情を発散させる
　話したくても話す相手がいない、話す機会や時間がないなど、家族介護者には、自分の感情を抑圧して毎日を送っ

ているケースが多くみられます。気持ちが落ち着くまで話してもらい、感情を発散させることが大切です。話を傾聴することによって、問題解決には至らなくとも、家族介護者は、カタルシスを受け、すっきりした気持ちになります。

▶カタルシス
気持ちが浄化されることです。

　同時に、家族の立場に立って話を受け止め、考えることが大切です。そうしたことが、家族との信頼関係につながり、介護負担の軽減に役立つと考えられます。

②慎重に対応する

　家族介護者は、抱えている問題について話し終わると、その場で回答を求めることがあります。ケアの方法やサービス利用の制度に関することなど、答えが明らかで、その場で解決できる問題もありますが、人間関係や介護負担に関する問題は、すぐに適切な答えが出てこないのが実情です。

　人間関係などの問題については、即答を避け、「少し時間をいただいて、考えてからお返事したいです」「上司に相談してもよろしいでしょうか」など回答を急がないことです。このような慎重な態度から、家族介護者に誠実さが伝わり、信頼感につながっていくと考えられます。

③家族介護者自身に結論を出してもらう

　家族間の人間関係などに関する問題は、正答がない場合も多く、第三者が意見を述べることで事柄が複雑になることもあります。また、家族はすでに答えを出していて、賛同を求めたいために、「どう思いますか」と質問してくる場合もあります。

　上記②で述べたように、人間関係などの問題は、回答を急がず、家族介護者自身が結論を出すようにしてもらいます。自分の考えを述べる前に、「ご家族（あなた）はどう

お考えなのですか」と、質問をそのまま返してみましょう。家族がもう一度問題に向き合い、自らの気持ちを見つめ、自分で答えを出すきっかけになるのです。

④エンパワメントを実践する
　家族が自らの力で問題解決できるよう側面的な支援をすること、家族の問題解決能力を高めることをエンパワメントといいます。それぞれの家族には、それぞれの生活習慣、家族関係、介護観、介護の力量があります。
　認知症ケア指導管理士には、必要な支援を提供していくだけにとどまらず、家族で問題を解決する力を養うよう関わることが求められます。家族が問題解決しやすいよう、必要な情報を提供したり、さりげなく励ましたり、側面的な支援を心がけましょう。

⑤続柄による負担感の違いに配慮する
　配偶者、子、子の配偶者（嫁）によって、介護への負担感が異なります。
　配偶者は、配偶者自身が高齢の場合（老老介護）がほとんどであり、介護の知識や技術を習得することに時間がかかったり、理解が困難なケースが多くあります。
　子は、就労しながら介護をするため、仕事と介護の板挟みになることがあります。
　子の配偶者は、これまでの嫁　姑（舅）の関係が影響することが多く、関係が悪かった場合は、特に介護負担が大きくなります。また、関係が良好であった場合も、特に親族などの周囲からの理解が得られず精神的負担になることがあります。

確認問題

問1
家族介護者への支援について、正しい記述を2つ選びなさい。

A 家族介護者の約90％が同居している女性であり、その続柄は、多い順に、配偶者、子の配偶者、子である。
B 家族介護者は、介護を手伝ってくれる人がいない、相談する人がいないという負担感を抱えている。
C 認知症の人の家族介護者の負担は、一般的には、環境的負担、身体的負担、不安解消の負担、社会的負担と表現される。
D 介護負担の感じ方は、性別・年齢・続柄・住居環境等の家族介護者のもつ条件にも左右される。
E 認知症ケア指導管理士はじめ介護職は、家族介護者の介護負担を軽減できるよう積極的な働きかけをし、主導権をもって支援していく。

問2
家族介護者の感じる負担について、正しい記述の数を選びなさい。

A 認知症という病気そのものがよくわからないので対応に困る。
B 介護負担から、自らの健康を害することもある。
C 在宅での介護を継続するためにはフォーマルサービスを利用するほかなく、経済的負担が大きい。
D 介護を手伝ってくれる人や相談する人がいない。
E 身体的な負担が大きい。

① 5つ　② 4つ　③ 3つ　④ 2つ　⑤ 1つ

問3
家族への支援について、正しい記述を2つ選びなさい。

A　インフォームドコンセントとは、ケア提供をした後で、ケアの必要性とそれに伴うリスクを伝えることである。
B　個人情報は口外せず（守秘義務）、利用者の権利を守る（権利擁護）ことを、口頭と文章をもって示すことをアドボケイト宣言という。
C　アドボケイト宣言をし、介護者の立場を明確にすることで、利用者とその家族に安心と信頼を保障できる。
D　家族の負担を軽減するには、利用者本人よりも家族中心に支援していく。
E　在宅での介護を継続していくためには、フォーマルサービスを上手に組み合わせることが必要である。

問4
ケアマネジメントについての記述のうち、正しい組み合わせを1つ選びなさい。

A　ケアマネジメントの手順は、①アセスメント、②目標の設定とケアプラン作成、③プラン実施、④評価となる。
B　本人が認知症のために自己決定ができそうにない場合は、家族の思いを最優先した支援をすればよい。
C　ケアマネジメントにより、利用者のニーズを解決するため必要な社会資源と結び付け、連絡・調整し、本人の望む生活の実現をめざす。
D　ケアマネジメントの最大の目的は、介護者の負担軽減である。
E　アセスメントの目的は、利用者の安全と安楽である。

①　A・B　　②　A・C　　③　B・C　　④　B・E　　⑤　D・E

問5

介護職の家族介護者への接し方についての記述のうち、正しい組み合わせを1つ選びなさい。

A 介護職は、認知症の人を抱える負担を心身両面から理解する。
B 介護職は、介護負担を少しでも軽くするために、知識、技術、心理面でのサポートを提供する。
C 介護職は、家族介護者の声を聴き、その思いを受け止め、介護職の考えで介護負担の軽減をしていく。
D 介護負担の感じ方は、家族介護者のもつ条件の影響は受けにくい。
E 介護職自身が介護しやすい環境を考え、家族に提案し整備する。

① A・B   ② B・C   ③ B・D   ④ C・D   ⑤ D・E

第9章 家族への支援

解答と解説

問1

解答 → B・D

解説
A 要介護者・要支援者と同居している家族介護者の69.4％を女性が占め、続柄別には、多い順に、配偶者、子、子の配偶者となっている。
B 介護を手伝ってくれる人がいない、相談する人がいないことのほか、認知症という病気そのものがわからない、自分の時間が確保できないなどの負担感がある。
C 身体的負担、社会的負担のほか、精神心理的負担、経済的負担がある。
D 家族介護者の立場が、配偶者、子、子の配偶者であるかによっても異なる。
E 家族介護者の介護負担を軽減できるよう側面的な支援を行う。

問2

解答 → ② 4つ（A・B・D・E）

解説
A 認知症専門外来などを受診し、専門医のアドバイスを受けるようにする。
B 介護の負担から、心身にストレスがかかったり、社会的孤立に追い込まれるほか、健康を害することもある。
C 在宅介護を継続するためには、フォーマルサービスのほかインフォーマルサービスも利用する。
D 訪問介護を利用したり、ケアマネジャー、地域支援センターに相談する。
E 特に家族介護者が高齢の場合、自らも持病を抱えているなどで負担が増加する。

問3
解答 → B・C
解説 A ケア提供前に、ケアの必要性とそれに伴うリスクを伝える。
　　　B 家の実情が外部に漏れるのではないかといった不安を取り除く。
　　　C 年齢を重ねるにつれての不安や健康などへの不安を軽減し、介護しやすい環境をともに考える。
　　　D 家族の負担を軽減するためにも、認知症の人本人を中心に支援していく。
　　　E フォーマルサービスだけでなく、インフォーマルサービスも組み合わせることが必要である。

問4
解答 → ② A・C
解説 A 本人と家族の気持ちや希望を受け止め、ケアプランを作成し支援にあたる。
　　　B 本人の表情や行動に注目し、本人の思いを察知し、家族と相談しながら支援していく。
　　　C 本人と家族のニーズを知り、解決するため必要な社会資源と結び付ける。
　　　D ケアマネジメントの最大の目的は、本人と家族を中心とした介護につなげることである。
　　　E アセスメントの目的は、利用者の情報収集とニーズの明確化である。

問5
解答 → ① A・B
解説 A 家族介護者の話を傾聴し、感情を発散させ、気持ちを落ち着かせる。
　　　B 介護技術など介護に関する相談に乗ったり、ともに考える。
　　　C 家族介護者の声を聴き、家族介護者の立場で考え、家族自身で結論を出してもらうように支援していく。
　　　D 介護負担の感じ方は、家族介護者のもつ条件の影響を受けやすい。
　　　E 家族介護者の負担を軽減し、家族介護者が介護しやすい環境をともに考え整備する。

第**10**章

認知症ケアにおける社会資源

1 社会資源の種類

地域生活の継続には、社会資源を上手に活用していくことが不可欠です。第10章では、さまざまな社会資源の種類と特徴を理解しましょう。

1 社会資源とは

　認知症の人とその家族が、住みなれた地域社会で生活を継続するには、さまざまなサポートが必要です。
　これらのサポート機能を果たす「人」「物資・設備」、サポートに必要な「資金」「技能・知識」を総称して、社会資源と呼びます。
　社会資源は、制度等によるフォーマルサービスと、人的資源などのインフォーマルサービスの2つに分類することができます。

①フォーマルサービス
　行政サービスや、民間法人・医療法人・社会福祉法人・NPO法人、地域団体・組織などのサービスです。
　たとえば、介護保険での社会資源を活用するサービスのうち、介護者の介護負担の軽減などを目的とした短期入所サービス（ショートステイ）や通所サービスがあります。短期入所サービスには、介護老人福祉施設、介護老人保健施設、介護療養型医療施設（2018年3月を目処に廃止予定）があります。通所サービスには、通所介護（デイサービス）、通所リハビリテーション（デイケア）があります。
　その他の社会資源には、訪問看護、訪問介護、福祉用具貸与、訪問リハビリテーション、訪問入浴などがあります。

▶社会資源の分類
フォーマルサービスとインフォーマルサービスの両方に含まれる地域団体・組織などがあり、はっきりとした境界線はないといわれます。

フォーマルサービスは、最低限のサービスの質は保障され、経済能力に応じた料金のサービスが選択できます。契約によるサービス提供であるため、**安定したサービス供給**が期待できます。しかし、サービス内容が**画一的になりやすい**という欠点もあります。

②インフォーマルサービス

家族の支援、親戚・友人・隣人などの支援、ボランティアなどの活動、地域団体・組織などのサービスです。

これらは、個々のニーズ（支援内容、提供時間、支援内容の変更など）に合わせた**柔軟な対応が可能**です。また、インフォーマルなサポートは、顔なじみである、お互いをよく知っているという**心理的な安心感がある**ので、サービスを受け入れやすいといえます。しかし、サービスの質にばらつきがあり、**安定性に欠ける**という欠点もあります。

2 社会資源の活用方法

フォーマルサービス、インフォーマルサービスの特徴を理解し、無理なく認知症の人の生活に組み入れていくことが大切です。その中心的役割を担うのが、**ケアマネジャー**（第3節参照）です。

ケアマネジャーは、社会資源の分類ではフォーマルサービスに入ります。つまり、社会資源の調整役は、フォーマルサービス側にあるといえます。

フォーマルサービスとインフォーマルサービスの適切な組み合わせをフォーマルサービス側で行うことによって、途切れのない支援体制が作られるのです。

② 医療保険制度の概要

日本では、すべての国民が何らかの医療保険制度に加入することになっています。

現在の医療保険制度の体系は、表10－1のとおりです。

表10－1　医療保険制度の体系

制度		被保険者		保険者	給付事由
医療保険	健康保険	一般	健康保険の適用事業所で働くサラリーマン・OL（民間会社の勤労者）	全国健康保険協会、健康保険組合	業務外の病気・けが、出産、死亡
		法第3条第2項の規定による被保険者	健康保険の適用事業所に臨時に使用される人や季節的事業に従事する人等（一定期間をこえて使用される人を除く）	全国健康保険協会	
	船員保険（疾病部門）	船員として船舶所有者に使用される人		全国健康保険協会	
	共済組合（短期給付）	国家公務員、地方公務員、私学の教職員		各種共済組合	病気・けが、出産、死亡
	国民健康保険	健康保険・船員保険・共済組合等に加入している勤労者以外の一般住民		市(区)町村	
退職者医療	国民健康保険	厚生年金保険など被用者年金に一定期間加入し、老齢年金給付を受けている65歳未満等の人		市(区)町村	病気・けが
高齢者医療	後期高齢者医療制度	75歳以上の方および65歳～74歳で一定の障害の状態にあることにつき後期高齢者医療広域連合の認定を受けた人		後期高齢者医療広域連合	病気・けが

出典：全国健康保険協会ホームページ「医療保険制度の体系」
https://www.kyoukaikenpo.or.jp/g3/cat320/sb3190/sbb3190/1966-200

第10章 認知症ケアにおける社会資源

1 医療保険の概要

①健康保険（職域保険）

被保険者（加入者）は、一般企業の給与所得者、公務員や私立学校教員などです。

保険者は、全国健康保険協会もしくは健康保険組合です。

保険給付には、加入者および加入者の被扶養者に対する給付があります（表10-2）。なお、療養の給付を受けるさい、窓口で自己負担額3割を支払います。

▶療養の給付
業務以外の事由により病気になったりけがをした場合、健康保険により治療を受けることができます。被保険者・被扶養者の資格が続くかぎり、病気・けがが治るまで必要な医療を受けられます。給付の範囲は、以下のとおりです。
・診察
・薬剤または治療材料の支給
・処置・手術その他の治療
・在宅で療養をするうえでの管理、その療養のための世話・看護
・病院・診療所への入院、その療養のための世話・看護

表10-2 健康保険給付の種類と内容

区分	給付の種類	
	被保険者	被扶養者
病気やけがをしたとき / 被保険証で治療を受けるとき	療養の給付 入院時食事療養費 入院時生活療養費 保険外併用療養費 訪問看護療養費	家族療養費 家族訪問看護療養費
立て替え払いのとき	療養費 高額療養費 高額介護合算療養費	家族療養費 高額療養費 高額介護合算療養費
緊急時などに移送されたとき	移送費	家族移送費
療養のため休んだとき	傷病手当金	
出産したとき	出産育児一時金 出産手当金	家族出産育児一時金
死亡したとき	埋葬料（費）	家族埋葬料
退職したあと（継続または一定期間の給付）	傷病手当金 出産手当金 出産育児一時金 埋葬料（費）	

出典：全国健康保険協会ホームページ「保険給付の種類と内容」
https://www.kyoukaikenpo.or.jp/g3/cat320/sb3170/sbb31700/1940-252

②国民健康保険（地域保険）の概要

　被保険者（加入者）は、自営業・無職者です。

　保険者は、市（区）町村もしくは自営業者組合です。

　保険給付には、療養の給付、入院時食事療養費、入院時生活療養費、保険外併用療養費、訪問看護療養費、家族療養費があります。

　上記①②の違いは、表10－3のとおりです。

▶現役並み所得者
現役の給与所得者と同じくらいの収入や財産がある人のことです。

表10－3　公的医療保険の給付内容

（令和5年4月現在）

	給付	国民健康保険・後期高齢者医療制度	健康保険・共済制度
医療給付	療養の給付 訪問看護療養費	義務教育就学前：8割、義務教育就学後から70歳未満：7割、 70歳以上75歳未満：8割（現役並み所得者：7割） 75歳以上：9割（現役並み所得者以外の一定所得以上の者：8割、現役並み所得者：7割）	
	入院時食事療養費	食事療養標準負担額：一食につき460円	一食につき210円 （低所得者で90日を超える入院：　一食につき160円） 特に所得の低い低所得者（70歳以上）：一食につき100円
	入院時生活療養費 （65歳〜）	生活療養標準負担額：一食につき460円（＊）＋370円（居住費） （＊）入院時生活療養（Ⅱ）を算定する保険医療機関では420円	低所得者：　　　　　　一食につき210円（食費）＋370円（居住費） 特に所得の低い低所得者：一食につき130円（食費）＋370円（居住費） 老齢福祉年金受給者：　一食につき100円（食費）＋0円（居住費） 注：難病等の患者の負担は食事療養標準負担額と同額
	高額療養費 （自己負担限度額）	70歳未満の者（括弧内の額は、4ヶ月目以降の多数該当） ＜年収約1,160万円〜＞ 　252,600円＋（医療費－842,000）×1％　（140,100円） ＜年収約770〜約1,160万円＞ 　167,400円＋（医療費－558,000）×1％　（93,000円） ＜年収約370〜約770万円＞ 　80,100円＋（医療費－267,000）×1％　（44,400円） ＜〜年収約370万円＞　　　57,600円　（44,400円） ＜住民税非課税＞　　　　　35,400円　（24,600円）	70歳以上の者（括弧内の額は、4ヶ月目以降の多数該当） 　　　　　　　　　　　入院　　　　　　　　　外来【個人ごと】 ＜年収約1,160万円〜＞ 　252,600円＋（医療費－842,000）×1％　（140,100円） ＜年収約770〜約1,160万円＞ 　167,400円＋（医療費－558,000）×1％　（93,000円） ＜年収約370〜約770万円＞ 　80,100円＋（医療費－267,000）×1％　（44,400円） ＜一般＞　　　　　　　57,600円　　　　　　　18,000円 　　　　　　　　　　　（44,400円）　　　　［年間上限144,000円］ ＜低所得者＞　　　　　24,600円　　　　　　　 8,000円 ＜低所得者のうち特に所得の低い者＞15,000円　　8,000円
現金給付	出産育児一時金 （※1）	被保険者又はその被扶養者が出産した場合、原則50万円を支給。国民健康保険では、支給額は、条例又は規約の定めるところによる（多くの保険者で原則50万円）。	
	埋葬料（※2）	被保険者又はその被扶養者が死亡した場合、健康保険・共済組合においては埋葬料を定額5万円を支給。また、国民健康保険、後期高齢者医療制度においては、条例又は規約の定める額を支給（ほとんどの市町村、後期高齢者医療広域連合で実施。1〜5万円程度を支給）。	
	傷病手当金	任意給付	被保険者が業務外の事由による療養のため労務不能となった場合、その期間中、最長で1年6ヶ月、1日に付き直近12か月の標準報酬月額を平均した額の30分の1に相当する額の3分の2に相当する金額を支給
	出産手当金		被保険者本人の産休中（出産日以前42日から出産日後56日まで）の間、1日に付き直近12か月の標準報酬月額を平均した額の30分の1に相当する額の3分の2に相当する金額

※1　後期高齢者医療制度では出産に対する給付がない。また、健康保険の被扶養者については、家族出産育児一時金の名称で給付される。共済制度では出産費、家族出産費の名称で給付。
※2　被扶養者については、家族埋葬料の名称で給付し、国民健康保険・後期高齢者医療制度では葬祭費の名称で給付。

2 退職者医療の概要

退職時に以下のすべてに該当する場合、退職者医療制度が適用され、退職被保険者（退職者本人）となります。
- 国民健康保険に加入している人
- 厚生年金保険・共済組合の年金加入期間が20年以上ある人、または、40歳以降に10年以上加入期間がある人
- 65歳未満の人

退職者医療制度は、2008年4月に下記 3 の高齢者医療制度に統合され、廃止されました。

▶退職者医療制度の経過措置
廃止後も2014年度までは、65歳未満の退職者を対象として、現行の退職者医療制度を存続させる経過措置があります。

3 高齢者医療の概要

75歳以上（後期高齢者）に対する医療は、高齢者の医療の確保に関する法律による**後期高齢者医療制度**により提供されます。運営主体は、都道府県ごとに構成する後期高齢者医療広域連合です。したがって、上記 1 の加入者が75歳になったときは、後期高齢者医療制度の対象になります。そのほか、65歳～74歳（前期高齢者）で、後期高齢者医療広域連合により一定の障害の状態にあるとの認定を受けた人も対象となります。

後期高齢者医療広域連合は、保険料の決定、徴収等の実務を行います。また、健康診査・骨粗鬆症検査・がん検診などの保健事業も行います。

診療や投薬処置等、医療機関を利用したさいは、窓口で自己負担額1割（現役並み所得者は3割）を支払います。

後期高齢者医療制度の財源は、被保険者（加入者）から毎月徴収する一定の保険料（1割）、現役からの支援（4割）、公費・税金（5割）となっています。

▶75歳以上に対する医療
従来は、老人保健法に基づく老人医療により提供されていましたが、高齢者の医療の確保に関する法律の成立に伴い、老人保健法は廃止されました。

③ 介護保険制度の概要

介護保険制度は、2000年4月より、高齢者の自立支援と尊厳の保持を基本理念に、介護を社会全体で支えるしくみとして創設されました。

1 介護保険制度とは

介護保険制度のしくみは、表10−4のとおりです。

表10−4 介護保険制度の概念図

40歳以上のすべての方（被保険者）	
※年齢によってどちらかになります	
65歳以上	**40歳以上65歳未満**
第1号被保険者	**第2号被保険者**
●全員に被保険者証が交付されます。 ●介護や支援が必要と認定された場合にサービスを利用できます（原因は問われません）。 ●保険料は、年金から天引き等で徴収されます。	●要介護認定を受けた方に、被保険者証が交付されます（認定を受ける機会がない人には交付されません）。 ●老化が原因とされる病気（特定疾病）により、介護や支援が必要とされた場合にサービスを利用できます。 ●保険料は、医療保険の保険料と一括して徴収されます。

利用料支払い ↑
介護予防プログラム（地域支援事業）を提供 ↓
一部負担（1割相当）支払い ↑
サービスを提供（介護給付・予防給付）↓
介護が必要かを調査して認定 ↓
介護が必要なときに申請 ↑
被保険者証を交付 ↓
保険料を納付 ↑

保険給付金相当額（サービス料の9割）支払い

サービス事業者 ← 市町村（保険者）

地域支援事業のサービス費支払い

（出典：独立行政法人福祉医療機構「介護早わかりガイド」を基に作成）

介護保険制度は、必要な人に**必要なサービスを利用して**もらえるよう、利用者の選択に基づく、**契約によるサービスの提供**を行い、民間事業者もサービスの提供が可能です。
　介護保険制度は、2005年6月に改正の法律が成立し、2006年4月より施行されました。改正のポイントは、①介護予防、②住み慣れた居宅での生活の継続、③認知症ケアの確立、④サービスの質の向上です。
　2006年4月より、介護状態にならないようにする（自立を維持する）ことが目的で、介護予防サービスが始まりました。また、社会福祉士、主任ケアマネジャー、保健師などが配属された地域包括支援センターが設置されました。地域住民の相談窓口となるほか、介護予防に関する事業を行っています。さらに、2008年5月（2009年5月施行）、2011年6月（2012年4月施行）にも改正の法律が成立しています。2011年6月に成立した「介護サービスの基盤強化のための介護保険法等の一部を改正する法律」を受け、2012年度の介護報酬制度改定は、以下の3つをポイントとしています。
● 地域包括ケアシステムの基盤強化
● 医療と介護の役割分担・連携強化
● 認知症にふさわしいサービスの提供

①介護保険制度の財源構成（居宅給付費）
　介護保険制度の財源は、被保険者（第1号および第2号）から徴収する保険料（50％）、公費（50％）となっています。公費は国が25％、都道府県が12.5％、市町村が12.5％を負担します。

②介護保険制度の被保険者
　介護保険の被保険者（加入者）は、表10-4のとおり、

▶居宅給付費
在宅サービスにかかる費用が該当します。

40歳以上のすべての人です。資格がある人は、強制加入となり、保険料を納付するほか、サービス利用時にサービス事業者へ自己負担額1割を支払います。

a．65歳以上の人（第1号被保険者）

介護が必要となった場合は、介護認定を受けることでサービス利用が可能になります。

b．40歳以上65歳未満の人（第2号被保険者）

医療保険加入者であり、介護保険適用となる場合は、以下の特定疾病（16疾病）に該当したとき、介護保険の給付を受けることができます。

> ①がん（一般的に認められている医学的所見に基づき、医師が回復の見込みがない状態に至ったと判断したものに限る）
> ②関節リウマチ
> ③筋萎縮性側索硬化症
> ④骨折を伴う骨粗鬆症
> ⑤後縦靱帯骨化症
> ⑥初老期における認知症
> ⑦進行性核上性麻痺、大脳皮質基底核変性症、パーキンソン病
> ⑧脊髄小脳変性症
> ⑨脊柱管狭窄症
> ⑩早老症
> ⑪多系統萎縮症
> ⑫糖尿病性神経障害、糖尿病性腎症、糖尿病性網膜症
> ⑬脳血管疾患
> ⑭閉塞性動脈硬化症
> ⑮慢性閉塞性肺疾患
> ⑯両側の膝関節または両側の股関節に著しい変形を伴う変形性関節症

▶介護保険の自己負担割合
原則1割ですが、2015年より合計所得金額が160万円以上ある場合は、2割になりました。また、2018年の改正により2割負担のうち、特に所得の高い人は3割になりました。

2 介護保険制度の利用

　介護保険サービスを利用するときは、まず「要介護（要支援）認定」の申請が必要です。サービス利用までの手順については表10－5のとおりです。

表10－5　介護サービスの利用の手続き

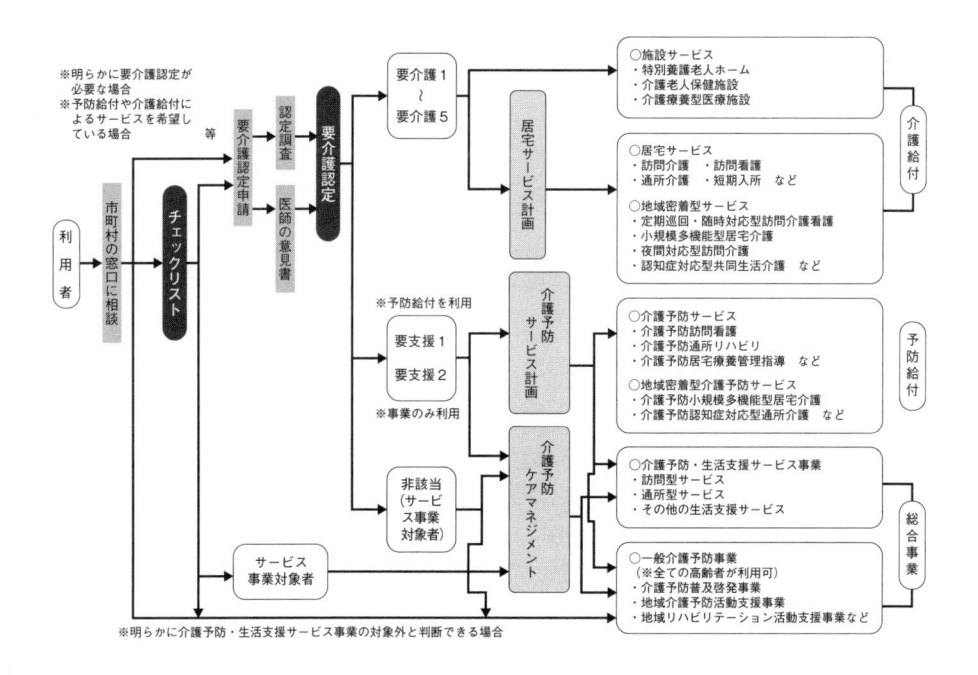

```
利用者
 → 市町村の窓口に相談
   → チェックリスト
     ※明らかに要介護認定が必要な場合
     ※予防給付や介護給付によるサービスを希望している場合
     → 要介護認定申請 等
       → 認定調査／医師の意見書
         → 要介護認定
           → 要介護1～要介護5
             → 居宅サービス計画
               ・施設サービス
                 ・特別養護老人ホーム
                 ・介護老人保健施設
                 ・介護療養型医療施設
               ・居宅サービス
                 ・訪問介護　・訪問看護
                 ・通所介護　・短期入所　など
               ・地域密着型サービス
                 ・定期巡回・随時対応型訪問介護看護
                 ・小規模多機能型居宅介護
                 ・夜間対応型訪問介護
                 ・認知症対応型共同生活介護　など
               → 介護給付
           → 要支援1／要支援2
             ※予防給付を利用
             → 介護予防サービス計画
               ・介護予防サービス
                 ・介護予防訪問看護
                 ・介護予防通所リハビリ
                 ・介護予防居宅療養管理指導　など
               ・地域密着型介護予防サービス
                 ・介護予防小規模多機能型居宅介護
                 ・介護予防認知症対応型通所介護　など
               → 予防給付
             ※事業のみ利用
           → 非該当（サービス事業対象者）
             → 介護予防ケアマネジメント
               ・介護予防・生活支援サービス事業
                 ・訪問型サービス
                 ・通所型サービス
                 ・その他の生活支援サービス
               ・一般介護予防事業
                 （※全ての高齢者が利用可）
                 ・介護予防普及啓発事業
                 ・地域介護予防活動支援事業
                 ・地域リハビリテーション活動支援事業 など
               → 総合事業
   → サービス事業対象者
     ※明らかに介護予防・生活支援サービス事業の対象外と判断できる場合
```

出典：厚生労働省「公的介護保険制度の現状と今後の役割（平成27年度）」
http://www.mhlw.go.jp/file/06-Seisakujouhou-12300000-Roukenkyoku/201602kaigohokenntoha_2.pdf

①申請からサービス利用までの流れ

a．申請

　介護が必要になったとき、本人または家族などが市町村に申請します。

b．要介護認定

一次判定、二次判定を経て、認定が行われます。

・**一次判定**…市（区）町村の認定調査員が、心身の状態を調べるために行う認定調査の内容をコンピューターで判定します。
・**二次判定**…一次判定の結果や主治医による意見書などをもとに、保険・医療・福祉の専門家で構成される介護認定審査会で審査・判定します。
・**認定**………介護を必要とする度合い（要介護度・要支援度）が認定されます。

c．認定結果の通知

原則として、申請から30日以内に、市（区）町村から認定結果が通知されます。

・**要介護1～5**…介護保険の介護給付により介護サービスを利用できます。
・**要支援1・2**…介護保険の予防給付により介護予防サービスを利用できます。
・**非該当(自立)**…状況に応じて介護予防事業や市（区）町村のサービスを利用できます。

d．ケアプランの作成

・**要介護1～5**…ケアマネジャーの所属する居宅介護支援事業所を利用者または家族が選び、ケアプラン（居宅サービス計画）の作成を依頼します。

〈ケアマネジャーの役割〉

ケアマネジャー（介護支援専門員）は、介護や介護保険制度の知識を広くもった専門家であり、利用者に適したケアプランを作成し、利用者とサービス提供事業者の間に立って連絡調整をします。要介護1～5の人には、居宅介護支援事業所のケアマネジャーがケアプランの作成を担当します。

・**要支援1・2**…地域包括支援センターの保健師などに予

防プランの作成を依頼します。

〈保健師の役割〉
　要支援1・2の人には、地域包括支援センターの保健師などが予防プランの作成を担当します。また、地域包括支援センターの保健師は、要介護認定で非該当（自立）と認定された高齢者の介護予防サービスのマネジメントも行います。

e．サービスの利用
　ケアプランに同意した後、介護サービス事業者ごとに契約をします。そして、ケアプランに基づき、介護サービスを利用します。

②要介護者・要支援者が利用できるサービス
　都道府県が管理監督するものと、市（区）町村が管理監督するものがあります。市（区）町村が管理監督するものを**地域密着型サービス**と呼び、その市（区）町村の住民のみ利用できます。ただし、通所介護事業所で定員18人以下の事業所は、平成28年4月1日から地域密着型通所介護事業所となり、事業所所在地の市（区）町村に指定・指導権限が移行されました。
　ここでのポイントは、以下の2点です。
- 介護保険3施設（介護老人福祉施設、介護老人保健施設、介護療養型医療施設(※)）への入所サービスは、**要介護者だけであること**
- ケアマネジャーによるサービス（**居宅介護支援・介護予防支援）には自己負担がない**こと

　なお、地域密着型サービスのうち、認知症対応型通所介護、認知症対応型共同生活介護、小規模多機能型居宅介護は、認知症の人が利用する機会が多いので、サービスの特徴や内容を理解しておきましょう。

a．認知症対応型通所介護
　認知症の要介護者に対して、自宅からのデイサービスセ

▶介護療養型医療施設
介護療養型医療施設については、2011年度末までに老人保健施設などへ転換することを進めてきましたが、現在運営している介護療養病床の転換の時期を2023年度末まで延長することになりました。ただし、2012年度以降は新設を認めないことになりました。

ンターへの送迎をはじめ、食事・排泄(はいせつ)・入浴等の日常生活の世話や、機能訓練などを行います。

b．認知症対応型共同生活介護

認知症の要介護者・要支援者2の人に対して、少人数でアットホームなグループホームでの共同生活のなかで、食事・入浴・排泄等の日常生活の世話や機能訓練などを行います。

c．小規模多機能型居宅介護

要介護者に対して、心身の状況や本人の選択に応じて、居宅あるいは通所・短期入所により、食事・排泄・入浴等の日常生活の世話や、機能訓練などを行います（表10-6）。

③住宅サービス

認知症に限らず、高齢になると今までの住まいが住みにくくなったり、住環境そのものが事故発生の要因になることがあります。身体状況や認知機能の変化に応じて、住環境整備を行うことが必要です。

介護保険制度には、**住宅改修サービス**があり、1人1回20万円を上限として保険給付が行われます。ただし、改修内容には規定があります。

介護保険以外にも、自治体による住宅改修費の助成や給付があります。

▶看護小規模多機能型居宅介護（複合型サービス）
居宅の要介護者に対して、居宅サービスや地域密着型サービスを2種類以上を組み合わせて提供されるサービスですが、現状では訪問看護と小規模多機能型居宅介護の組み合わせのみなので、2015年4月より看護小規模多機能型居宅介護となりました。

●介護保険制度のまとめ●

保険者 (保険を運営する者)	市町村・特別区（東京23区）	
被保険者	第1号被保険者 (65歳以上)	第2号被保険者（40歳から65歳未満の医療保険加入者）
保険料	市町村が徴収（原則年金から天引き）	医療保険者が医療保険の保険料と一括徴収
受給要件	・要介護状態 ・要支援状態	末期がん・関節リウマチなど加齢に起因する疾病（特定疾病）による要介護・要支援状態
サービスの種類	・施設サービス ・（介護予防）居宅サービス ・（介護予防）地域密着型サービス	
自己負担	利用したサービス料金の一割（居宅介護支援は負担なし） ※応益負担	

▶応益負担
受けたサービスに応じた負担をすることをいいます（介護保険、医療保険の自己負担など）。これに対し、サービスを受ける人の収入に応じて負担をすること（市町村による福祉サービスなど）を「応能負担」といいます。

第 10 章　認知症ケアにおける社会資源

表10-6　小規模多機能型居宅介護のイメージ

基本的な考え方：「通い」を中心として、要介護者の様態や希望に応じて、随時「訪問」や「泊まり」を組み合わせてサービスを提供することで、中重度となっても在宅での生活が継続できるよう支援する。

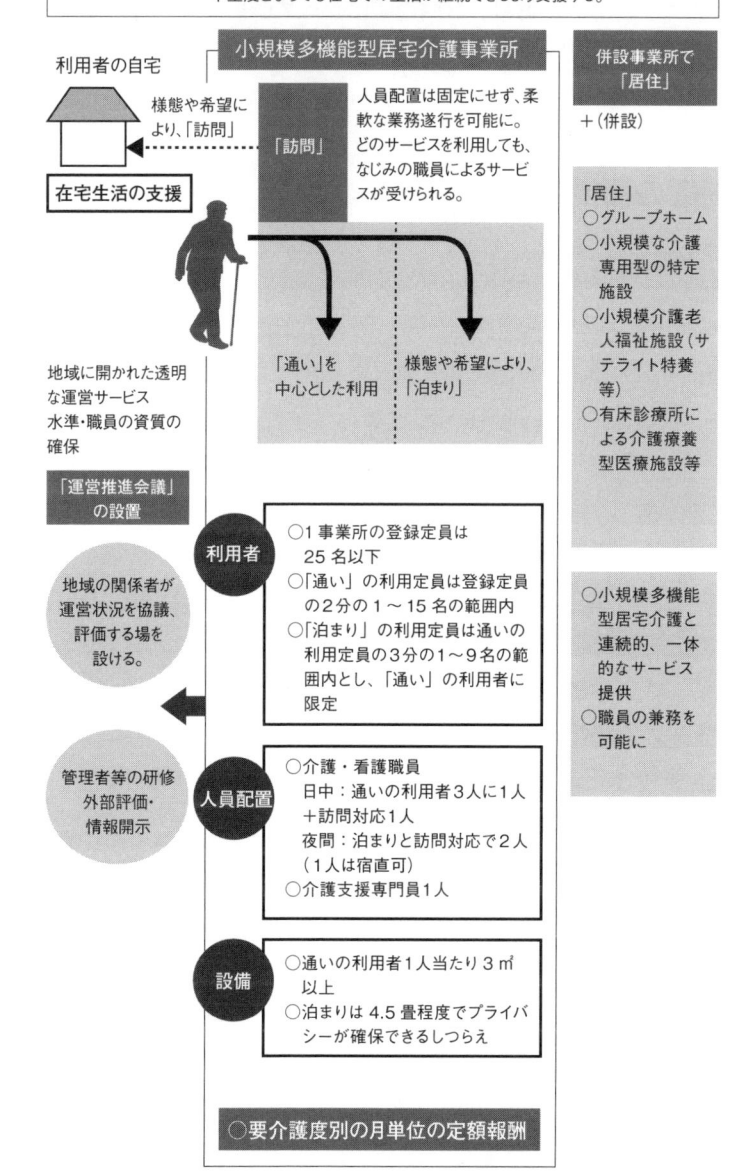

利用者の自宅 → 様態や希望により、「訪問」 → **在宅生活の支援**

小規模多機能型居宅介護事業所

「訪問」：人員配置は固定にせず、柔軟な業務遂行を可能に。どのサービスを利用しても、なじみの職員によるサービスが受けられる。

- 「通い」を中心とした利用
- 様態や希望により、「泊まり」

地域に開かれた透明な運営サービス水準・職員の資質の確保

「運営推進会議」の設置

地域の関係者が運営状況を協議、評価する場を設ける。

管理者等の研修
外部評価・情報開示

利用者
- 1事業所の登録定員は25名以下
- 「通い」の利用定員は登録定員の2分の1～15名の範囲内
- 「泊まり」の利用定員は通いの利用定員の3分の1～9名の範囲内とし、「通い」の利用者に限定

人員配置
- 介護・看護職員
  日中：通いの利用者3人に1人＋訪問対応1人
  夜間：泊まりと訪問対応で2人（1人は宿直可）
- 介護支援専門員1人

設備
- 通いの利用者1人当たり3㎡以上
- 泊まりは4.5畳程度でプライバシーが確保できるしつらえ

○要介護度別の月単位の定額報酬

併設事業所で「居住」　＋（併設）

「居住」
- グループホーム
- 小規模な介護専用型の特定施設
- 小規模介護老人福祉施設（サテライト特養等）
- 有床診療所による介護療養型医療施設等

- 小規模多機能型居宅介護と連続的、一体的なサービス提供
- 職員の兼務を可能に

（出典：厚生労働省「介護保険制度改革の概要」を基に作成）

4 公的年金制度と生活保護制度

日本の年金体系は、表10-7のとおり、3階建てになっています。1階部分は、国民年金（基礎年金）であり、20歳から60歳までの日本に住む人全員が加入を義務付けられています。

1 公的年金制度の概要

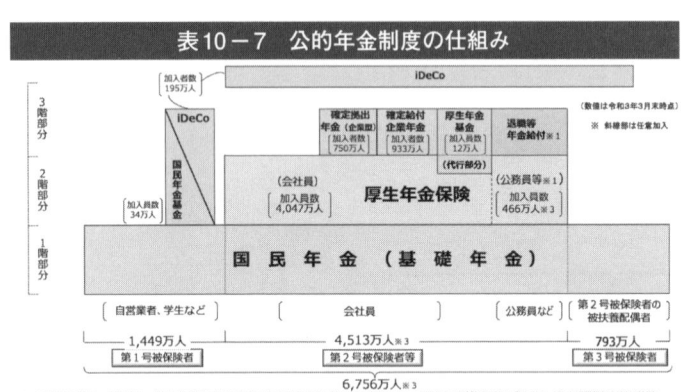

表10-7　公的年金制度の仕組み

階部分	加入者数
3階部分	iDeCo 195万人／確定拠出年金（企業型）加入者数 750万人／確定給付企業年金 加入者数 933万人／厚生年金基金 加入員数 12万人／退職等年金給付※1
2階部分	国民年金基金 加入員数 34万人／厚生年金保険（会社員）加入員数 4,047万人／（公務員等※1）加入員数 466万人※3
1階部分	国 民 年 金 （ 基 礎 年 金 ）

自営業者、学生など	会社員	公務員など	第2号被保険者の被扶養配偶者
1,449万人	4,513万人※3		793万人
第1号被保険者	第2号被保険者等		第3号被保険者

6,756万人※3

※1　被用者年金制度の一元化に伴い、平成27年10月1日から公務員および私学教職員も厚生年金に加入。また、共済年金の職域加算部分は廃止され、新たに退職等年金給付が創設。ただし、平成27年9月30日までの共済年金に加入していた期間分については、平成27年10月以降においても、加入期間に応じた職域加算部分を支給。
※2　第2号被保険者とは、厚生年金保険被保険者のことをいう（第2号被保険者のほか、65歳以上で老齢、または、退職を支給事由とする年金給付の受給権を有する者を含む）。
※3　公務員等、第2号被保険者等及び第3号中金全体の数は速報値である。

出典：厚生労働省HP　年金制度の仕組みと考え方

①老齢基礎年金

国民年金（基礎年金）は、すべての人に共通するものです。20歳から60歳までの40年間、全期間保険料を納めると、65歳から満額の老齢基礎年金を受給できます。保険料を納めた期間、免除された期間、合算対象期間、カラ期間を通算した期間が原則10年以上あることが必要です。

②障害年金

公的年金制度が定める1級、2級の障害がある場合に、障害年金が支給されます。
● 20歳未満で障害をもった場合…国民年金の保険料を納

▶カラ期間
保険料を納付していなくても、老齢基礎年金の受給資格期間として算入される期間をいいます。1986年3月以前に国民年金に任意加入できるが加入していなかった期間などがあります。年金額算定に反映されないため、カラ期間と呼ばれます。

入していなくても、20歳から支給が受けられます。
- 20歳以降に障害をもった場合…国民年金に加入していることが支給の要件になります。

公的年金制度が定める3級以下の軽い障害に対しても、手当金制度があります。

なお、被用者(給与所得者、公務員など)であり、公的年金制度が定める1・2級の障害がある場合は、**障害基礎年金に障害厚生年金・障害共済年金**が上乗せされます。3級の障害がある場合には、障害厚生年金・障害共済年金のみ支給されます。

③遺族年金

国民年金または厚生年金保険の被保険者または被保険者であった方が、亡くなったときに、その方によって生計を維持されていた遺族が受けることができる年金です。

遺族年金には、「遺族基礎年金」「遺族厚生年金」があり、亡くなった方の年金の加入状況などによって、いずれかまたは両方の年金が支給されます。

2 生活保護制度の概要

国民の生存権を保障するため、最低基準に満たない部分を補足する制度です。

扶助の種類は、生活扶助、住宅扶助、教育扶助、医療扶助、介護扶助、生業扶助、葬祭扶助、出産扶助の8つです。給付には、現金給付と現物給付があります。

第3節で述べた介護保険制度を利用してサービスを受けた場合、自己負担額1割は、**介護扶助**で賄われます。

なお、65歳以上の人は、生活保護を受けていても第1号被保険者になるので、介護保険料の納入義務があります。この場合、**生活扶助**に介護保険料が加算されます。

5 成年後見制度と日常生活自立支援事業

成年後見制度および日常生活自立支援事業は、判断能力の不十分な成年者（認知症者・精神障害者・知的障害者等）への支援として、法律で定められています。

1 成年後見制度とは

成年後見制度は、民法に規定され、判断能力の不十分な成年者（認知症者・精神障害者・知的障害者等）の保護・支援を目的としています。法定後見制度と任意後見制度の2つの柱があります（表10-8）。

表10-8　成年後見制度の分類

```
                ┌─ 法定後見制度 ─┬─ 後見
成年後見制度 ─┤                  ├─ 保佐
                └─ 任意後見制度   └─ 補助
```

成年後見制度の支援内容は、財産の管理、法律行為の代行、契約行為の代行などです。

裁判にかかる費用や補助人への謝礼などは、すべて本人が負担します。

①法定後見制度

法定後見制度は、判断能力の程度などによって選択ができるようになっています。判断能力に応じて、後見・保佐・補助の制度があります。概要は表10-9のとおりです。

支援が必要と判断したら、本人、配偶者、4親等内の親族などが、**家庭裁判所**へ成年後見制度の利用申請を行いま

▶4親等
従兄弟・従姉妹とその配偶者、祖父母の兄弟・姉妹とその配偶者、兄弟の孫とその配偶者、自分の孫の孫を指します。

す。検察官や市町村長も申立てができます。

　家庭裁判所の裁判官によって支援する人（補助人・保佐人・後見人）が選出され、必要な取り決めが行われます。

　後見人・保佐人・補助人には、以下のように法人も認められています。
- 家族…配偶者、子、孫、兄弟姉妹等の親族
- 第三者（個人）…社会福祉士、弁護士、司法書士等
- 第三者（法人）…社会福祉法人、株式会社、社会福祉協議会等

　また、身上監護は家族、財産管理は第三者など、複数人を選任して役割分担することもできます。

表10－9　補助・保佐・後見の制度の概要

	補助	保佐	後見
対象	判断能力が不十分な人	判断能力が著しく不十分な人	判断能力が欠けているのが通常である人
同意権・取消権の範囲	申立ての範囲内で家庭裁判所が定める特定の法律行為	民法所定の行為 ・元本を領収または利用すること ・借財または保証をすること ・不動産等に関する権利の得喪 ・訴訟行為　など	日常生活に関する行為以外の行為 ※補助・保佐には同意権があるが、後見には同意権がない。
代理権の範囲	申立ての範囲内で家庭裁判所が定める特定の法律行為	申立ての範囲内で家庭裁判所が定める特定の法律行為	財産に関するすべての法律行為

②任意後見制度

　任意後見制度は、まだ本人に判断能力が残っている間に、自分の意思で後見人（**任意後見人**）を決めておくというものです。取り決め内容は、公正証書にして保管します。

　支援が必要な状態になったら後見が開始されますが、開始のさい、家庭裁判所が**後見監督人**を選出します。任意後見人は、任意後見監督人の監督の下、対象者の支援を行い

▶同意権・取消権
単独では契約等の法律行為ができない本人に代わって、別の人が意思表示を行うことにより、その効果が本人に帰属するものです。意思表示を行う別の人が、行える範囲以外の行為をした場合には、取り消すことがきます。

▶代理権
本人に代わって意思表示をしたり受けたりする権限をもつ人が法律行為を行った場合、その効果が本人に帰属するものです。

▶公正証書
公証人や公的機関が作成し、公信力のある（真実とみなされる）書類であり、公証人等が有効に作成したことを証明し公文書となった書類です。遺言、任意後見契約、金銭の貸借に関する契約、土地・建物などの賃貸借などに関する証書があります。

ます。

2 日常生活自立支援事業の概要

　日常生活自立支援事業は、社会福祉法に規定され、判断能力が低下した人（認知症者・精神障害者・知的障害者等）が地域生活（居宅での生活）を継続できるよう支援する目的があります。

　判断能力は、法律・福祉・医療の専門家による契約締結審査会で審査します。また、適正に運営されているか、運営適正化委員会が監督します。また、運営適正化委員会は、福祉サービスに関する利用者などからの苦情解決も行います。

①日常生活自立支援事業の利用の流れ

　事業の実施主体および利用相談の窓口は、**社会福祉協議会**です。専門員が相談に応じ、支援計画を作成します（表10-10）。

　本人が日常生活自立支援事業の趣旨を理解し、支援計画に同意し、契約を結びます。契約は、本人が署名・捺印することによります。判断能力の低下が著しく、**契約行為を行えない場合は利用できません。**

　契約成立後、**生活支援員**が対象者の自宅を訪問し、支援計画に沿って援助を行います。専門員は、引き続き生活支援員と連携し、支援計画の変更等の協議などを行います。

②日常生活自立支援事業の支援内容

　日常生活の金銭管理、契約締結時の助言、書類の預かりがあります。生活支援員は、そばに付き添い、サポート

▶専門員の役割
相談を受けて、本人の意向をもとに適切な支援計画を作成し、契約します。常に、利用者との意思疎通を図りながら支援します。

▶生活支援員の役割
契約の内容に沿って、定期的に利用者を訪問し、福祉サービスの利用手続きを手伝ったり、預貯金の出し入れなどを代行します。

（助言・指導）するにとどまり、実際の行為は本人が行います。

　サービスの利用料は、各福祉協議会で決めていますが、1時間当たり1,200円程度が一般的な目安です（2012年4月末現在）。ただし、生活保護受給者（第4節**2**参照）は無料です。

　利用料も比較的安価で、生活に必要な支援を受けられるため、利用価値が高いといえます。しかし、契約締結能力がないと利用できないため、認知症の人の場合、いずれは利用契約が終了することに注意が必要です。

表10-10　日常生活自立支援サービス開始までの流れ

①相談（無料）	・最寄りの社会福祉協議会に相談する。 ・本人が相談できない場合は、家族やケアマネジャー（介護支援専門員）などが相談してもよい。
⇩	
②訪問（無料）	・専門員が訪問し、面談・相談を行う。 ・困っていることや、希望などを聞き、どのような支援を行うかなどを本人・家族と専門員が一緒に考える。
⇩	
③契約（無料）	・専門員が、計画内容・支援計画を提案する。 ・契約内容に問題がなければ、本人・家族と社会福祉協議会と契約を結ぶ。
⇩	
④サービス開始（有料）	・生活支援員が、支援計画に沿ってサービスを提供する。

6 高齢者虐待防止法の概要

正式には「高齢者虐待の防止、高齢者の養護者に対する支援等に関する法律」といいます。虐待してしまった養護者に対し、再発防止のため相談助言支援をしていこうという意味が込められています。

1 虐待となるもの

虐待について、厚生労働省は、身体的虐待、心理的虐待、性的虐待、経済的虐待、介護等放棄(ネグレクト)の5種類に分けています(表10-11)。

▶養護者
高齢者の世話をしている家族・親族などを指します。

表10-11 高齢者虐待防止法について厚生労働省による虐待の種類

種類	内容
身体的虐待	つねる、殴る、たたくなどの暴力により、身体に外傷を与える。
心理的虐待	暴言、無視、嫌がらせなどにより、精神的に苦痛を与える。
経済的虐待	本人の同意なく財産や金銭を使用したり、たとえば、10万円必要なときに3万円に減額したり渡さなかったりする(金銭的虐待)。
性的虐待	本人の同意なくわいせつな行為を強要する。
介護等放棄（ネグレクト）	生活に必要な介護を拒否したり、医療や食事などを提供しない。

2 虐待の通報と虐待への対応

高齢者虐待防止法は、虐待を**養護者によるものと養介護施設従事者等によるもの**に分け、運用方法を定めています。

高齢者虐待防止法上、私たち地域住民には、生命に危険がある虐待を受けている高齢者を発見したら、市(区)町

▶介護等放棄
高齢者や病人に対して、必要な世話や配慮を行わなかったり、冷暖房などの使用を制限することも該当します。

村に通報しなくてはならないという義務があります。

実際の通報窓口は、市（区）町村の地域包括支援センターです。通報を受けた地域包括支援センターの職員が家庭訪問をし、事実確認を行います。必要があれば、警察も同行します。養介護施設従事者等（施設スタッフ、訪問系事業者スタッフ）による虐待の場合も、地域包括支援センターが施設や事業所を立入調査し、事実確認を行います。

通報内容が事実である場合、高齢者を特別養護老人ホームへ措置入所させ、その間に養護者と面接し、今後の介護方針（施設入所やケアプランの変更など）を協議します。

▶立入調査
施設や事業所の協力が得られない場合、都道府県との合同調査になることがあります。

3 虐待に関するデータ

厚生労働省の『令和5年度 高齢者虐待の防止、高齢者の養護者に対する支援等に関する法律に基づく対応状況等に関する調査結果』によると、養護者による高齢者虐待の被害者は、女性75.6％と女性のほうが多く、全体の約7割を占めています。虐待をした人を続柄でみると、多い順に、息子、夫、娘、妻となっています。また、虐待の種類は、身体的虐待が65.1％と最も多く、続いて心理的虐待38.3％、介護等放棄19.4％、経済的虐待15.9％、性的虐待0.4％となっています。

虐待の発見者・通報者となるのは介護保険サービスを受けている場合では、介護支援専門員・介護保険事業所職員が多くなっています。日常生活支援にあたる介護者は、虐待を未然に防ぐため、利用者と家族に目配り・気配りをする必要があります。自らが、虐待を発見しやすい立場であることを認識し、虐待の兆候を見逃さないようにすることが大切です。また、他職種と連携し、早期対応に努めることも求められます。

7 悪徳商法とクーリングオフ制度

悪徳商法の被害者になりやすいのは、高齢者（特に認知症高齢者）、知的障害者、精神障害者だといわれています。被害にあった場合、被害者の権利を守り、相談や支援をすることが必要です。

1 高齢者と悪徳商法

　高齢者は、「お金」「健康」「孤独」の3つの大きな不安をもっているといわれます。これらの不安をあおられることで、悪質商法の被害を受けやすくなると考えられます。
　国民生活センターの公表によると、全国の消費生活センターに寄せられた契約当事者が70歳以上の相談件数は、2010年度は約13万件で、相談全体の約15％を占めています（2011年5月末現在）。販売方法・手口別にみると、相談件数の上位3位は、家庭訪販（21,431件）、電話勧誘販売（21,148件）、利殖商法（7,856件）となっています。
　主な悪徳商法には、マルチ商法、催眠商法、点検商法等があり、それぞれに、クーリングオフ制度（**2**参照）が設けられています。

①マルチ商法
　代理店や消費者による口コミなどを利用して連鎖的に行う販売行為のことです。連鎖販売取引のうち、悪質なものをいいます。

②催眠商法
　無料プレゼントや、安価な食料品・日用雑貨などの生活必需品を示して、高齢者や主婦などを集め、購買意欲をあ

▶消費生活センター
地方公共団体が設置している機関です。専門の相談員が、無料で消費生活全般に関する苦情や問い合わせを受け付け、公正な立場で処理します。消費者の啓発活動や、衣食住に関する情報提供などを行っています。

おって商品を販売することです。本来は必要ではない商品や、安価であると錯覚(さっかく)して高価な商品を売りつけるものです。

③点検商法

点検を行うという理由で自宅を訪問し、欠陥(けっかん)があるなど告げて不安をあおることにより、保証契約などを勧めたり、本来は必要ではない商品を売りつけるものです。必要のない修理や劣悪な商品などの提供を行う場合があります。

2 クーリングオフ制度

クーリングオフとは、購入契約をした人が、一定期間内に書面（契約解除通知書）で解約意思を通知することにより、無条件で契約を取り消すことができる制度です。

クーリングオフ制度を利用するさいに注意することは、**契約解除通知書の両面をコピーして保管しておく**こと、**特定記録郵便等で出す**ことです。

なお、被害者が認知症等の場合は、クーリングオフの期間を過ぎた場合でも解約できる可能性が高いです。その場合は、**消費生活センター**に相談するようにします。

8 認知症の人に対する医療サービス・保健福祉施策

フォーマルサービスによる医療サービス、保険福祉施設も有効に活用できます。本節では、それぞれの概要を紹介します。

1 認知症の人に対する医療サービス

①認知症疾患医療センター

　通常、精神科のある総合病院・精神病院に設置されています。認知症の人への支援体制の中核となり、保健・医療・福祉等と連携し、相談・鑑別診断・治療・救急対応などを行います。

　在宅の認知症の人で行動・心理症状（BPSD）（第3章第1節参照）の出現が著しい人に対し、リハビリテーション、生活機能の回復訓練、家族指導などを行います。また、病院を退院した人に対して**老人性認知症デイケア**を行います。

②老人性認知症治療病棟・老人性認知症療養病棟

　認知症の人の入院に対応します。老人性認知症治療病棟は、寝たきりではなく、病状が不安定で行動・心理症状が著しく、投薬などが必要な人が対象です。老人性認知症療養病棟は、寝たきりではなく、病状は安定していて、施設や自宅での生活が困難な人が対象です。

③認知症地域医療支援事業

　厚生労働省は、高齢者が慢性疾患などの治療のために受診する診療所等の主治医（**かかりつけ医**）に対し、適切な認知症診断の知識・技術、家族からの話や悩みを聞く姿勢

を習得するための研修を実施しています。

また、かかりつけ医への研修・助言をはじめ、地域医療体制の中核的な役割を担う医師として、**認知症サポート医**の養成を進め、認知症の早期発見・早期対応（治療）をめざしています。

2 認知症の人に対する保健福祉施策

①認知症介護研究・研修センター

認知症介護サービスの質の向上を図るため、東京都杉並区、愛知県大府市、宮城県仙台市の全国3か所に拠点があります。

②認知症サポーターキャラバン

認知症の人が地域で生活していくには、周囲の理解と協力が必要です。そこで、地域住民による認知症サポーターの養成や啓蒙活動が行われています。

厚生労働省は、「認知症を知り地域をつくる」キャンペーンの一環として、認知症の人と家族への応援者である認知症サポーターを養成することを掲げています。開始当初は、「認知症サポーター100万人キャラバン」として、全国で100万人をめざしていましたが、2012年3月末現在、330万人を超えるまでになっています。

③身体拘束原則禁止

施設介護において身体拘束原則禁止を掲げ、その実践のため、都道府県単位で調査・研究・指導、普及活動・啓発活動を行っています。国も、調査・研究・指導のほか、厚生労働省が『身体拘束ゼロへの手引き』を配布しています。

9 各種のインフォーマルサービス

第1節で述べたように、インフォーマルサービスの提供者は、家族や友人、近隣、ボランティア等です。本節では、それぞれの提供者がもつ特徴や役割を解説します。

1 家族の支援

家族介護の特徴は、経済的負担を負うことと、自分の時間をケアへ提供することにあります。また、長所・短所として、表10-12のようなものがあります。

表10-12 家族介護の長所と短所

長所	短所
・認知症の兆候に気づける。 ・医療機関へ連れていける。 ・昔から知っているというなじみの関係がケアに活かされる。	・認知症の症状を否定したい気持ちから、年のせいなどにして、受診が遅れる。 ・過去の関係が良好ではなかった間柄の場合、ケアをするほうもケアを受けるほうも抵抗があって、スムーズにいかない。

①配偶者の特徴

認知症の人に、身体的介護サポート、情緒的サポート、経済的サポートを提供する立場です。そのため、身体的負担・精神心理的負担・経済的負担（第9章第1節参照）を負いやすく、バーンアウトに陥ることもあります。

②子の特徴

認知症の人に、必ずしも身体介護的サポートをするとは限らず、経済的サポート、情緒的サポートの提供にとどま

▶バーンアウト
燃えつき症候群ともいいます。

ることもあります。
　子は、別居・同居にかかわらず、認知症の人だけでなく、認知症の人の配偶者のサポート役としても重要な役割があります。

2 親戚・友人・隣人などの支援

　近隣の人の役割には、直接的なものと間接的なものがあります（表10 − 13）。

表10 − 13　近隣の人のサポート

直接的サポート	間接的サポート
・身体介護的サポート ・家事支援的サポート ・見守り、声かけ　　　　など	・市町村への通報 ・家族介護者への情緒的サポート 　　　　　　　　　　　　　　など

　徘徊(はいかい)している認知症高齢者がいた場合、近隣の理解と協力があれば、早期に発見・保護でき、家族介護者の負担も軽減されると考えられます。

3 ボランティアなどの活動

①ボランティア
　地域の支え合いには、ボランティアの活動が重要です。ボランティアの役割は、フォーマルサービスに欠けがちな、ぬくもり・やさしさ・柔軟性のある関わりといえます。
　また、第三者的な立場から、家族介護者の話を傾聴し、互いに語り合う時間を共有します。これにより、家族介護者は、発想の転換をしたり、問題解決の糸口を見つけるこ

ともあります。

②民生委員

　民生委員は、社会福祉の増進に努め、地域住民の生活状況の把握や福祉施設の業務への協力などを行います。

　都道府県知事の推薦を受けた候補者を厚生労働大臣が委嘱するという形式で選任します。任期は3年で、児童委員も兼任します。

　民生委員も近隣住民ですが、住民と市（区）町村をつなぐ公的な立場であると考えます。以下の役割があります。
- 認知症への偏見をなくすよう啓蒙（けいもう）活動に参加する。
- 認知症の人に関わる正確な情報を市（区）町村等に提供する。
- インフォーマルな社会資源開発に努める。

　ケアマネジャーや包括支援センターの活動を支援することで、地域住民の生活ニーズの解決をめざします。

▶児童委員
児童福祉法に基づいて、市（区）町村に設置されています。地域の子どもが元気に安心して暮らせるように子どもを見守り、妊産婦に対し、妊娠中や子育ての不安への相談に応じ支援を行います。

4 認知症ケア指導管理士の役割

　各種の社会資源は、単独で効果を発揮するものではなく、関連分野・関連部署との連携（情報共有、相談、助言など）があって、はじめて有効活用されます。

　認知症の人とその家族の生活は、医療者との関わり、介護者との関わり、近隣や友人との関わりなど、相互関係の上に成り立っています。それらを広い視野で見つめ、総合的に把握することが、利用者支援の第一歩です。

　そして、さまざまな社会資源について十分理解したうえで、個々のニーズに合わせて情報を提供し、情報を活用できるよう援助していくことが求められます。

5 地域ネットワークによる支援

　認知症の人とその家族を支えていくには、地域におけるネットワークの構築が重要です。

　その方法の1つに、インフォーマルサービスの役割を果たすボランティアや民生委員から、リーダーとなる人材を育成することがあげられます。そのリーダーとインフォーマルサービスの役割を果たす認知症サポーター（第8節❷参照）が連携することで、地域ネットワークの基盤形成につながっていくと考えられます。

　自分の地域でどのようなネットワークが必要なのかをアセスメントし、地域特性を活かしながら実現していきます。

　社会資源の量や質は、地域差があるのが実情です。自分が住む地域社会の現状を知り、足りないものを開発していくよう自治体に進言していくことも、認知症ケア指導管理士の役割の1つです。

　認知症の人とその家族に最も近い専門職として、その地域住民の1人として、生の声を自治体に届けていくことが大切です。また、質の向上のために、現状をチェックし、問題点・改善点を挙げ、よりよいものにしていく努力も必要です。認知症になっても住み続けられる地域社会の構築に向けて、自らの役割をしっかり認識し、その遂行に努めていきましょう。

10 地域による支援

認知症であっても、住みなれた地域で生活を継続するためには、認知症の人の生活を支えるサービス体系が必要です。このしくみとして、地域包括ケアシステムがあります。

1 地域包括ケアシステムとは

地域包括ケアシステムは、介護保険制度と地域支援事業を中心に、表10-14のように考えられています。

表10-14 地域包括支援センター(地域包括ケアシステム)のイメージ

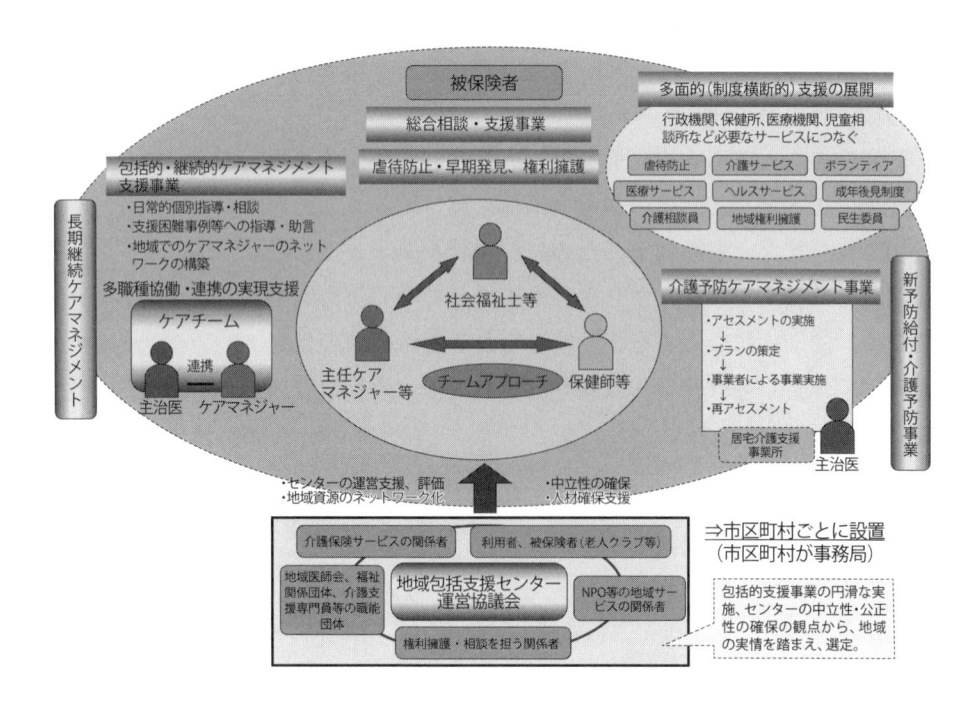

出典：厚生労働省ホームページ「地域包括支援センター（地域包括ケアシステム）のイメージ」http://www.mhlw.go.jp/topics/kaigo/gaiyo/k2005_05.html

東京都福祉保健局の「要介護者数・認知症高齢者数等の分布調査（令和4年）」の結果によると、要介護・要支援認定を受けた高齢者の78％が、何らかの認知症の症状がある高齢者（日常生活自立度Ⅰ以上）とされています。

　個々の高齢者の状況に応じ、医療・福祉・保健等のサービスが柔軟に対応し、包括的かつ継続的に支援していくしくみが必要とされています。

①地域包括支援センター

　地域包括支援センターは、地域住民が住み慣れた地域で安心してその人らしい生活を続けていくための最も身近な相談窓口です。保健師、看護師、社会福祉士、主任ケアマネジャー等の専門職が配置され、総合的に高齢者を支援します。また、相談料は無料です。

　地域包括支援センターの機能として、以下のようなものがあります。

a．総合相談・支援

　「もの忘れが多くなって心配だ」「認知症ケアについて知りたい」「介護保険を申請したい」などの相談を受け、相談者が保健・医療・福祉の各種サービスや制度を適切に受けられるよう支援します。

b．権利擁護

　「将来のお金の管理が心配だ」「虐待にあっている人がいる」「悪質な訪問販売の被害にあった」などの相談を受け、成年後見制度（第5節）の利用を助言したり、虐待や消費者被害に関する専門機関と連携して対応します。

c．介護予防マネジメント

　介護予防についての相談、介護予防事業の案内、要支援1・2の人の介護予防ケアプランの作成を行います。

▶地域包括支援センターの担当地域
人口2～3万人ごとに1ヶ所を目安に設置されます。多くの場合、中学校ごとの学区がこれにあたります。

d．包括的・継続的ケアマネジメント支援

　高齢者が、状態の変化に応じて途切れることなく必要なサービスを受け、地域での生活を継続していけるよう支援します。さまざまな社会資源と連携できるネットワーク作りを行い、介護を支える地域のケアマネジャーへの助言や関係諸機関との連絡調整も行います。

②各種の相談窓口

　地域住民が気軽に相談できる窓口の整備も必要です。地域包括支援センターのほかにも、保健所・保健センター、認知症疾患医療センター、市区町村の介護保険担当課・高齢者福祉担当課などがあります。

　電話相談窓口として、認知症コールセンターや「シルバー110番」があります。認知症コールセンターは、厚生労働省が各自治体に設置要請を通知し、すでに運営開始されているところもあります。「シルバー110番」は、都道府県に設置されている電話相談窓口で、認知症にかかわらず生活全般の相談を受け付けています。

　また、国際アルツハイマー病協会にも加盟している**認知症の人と家族の会**では、電話相談をはじめ、啓蒙活動、認知症の勉強会等を全国の支部で行っています。

2 家族とかかりつけ医との関わり

　認知症は、早期発見・早期対応でその後の病状変化に違いが出てくるといわれています。認知症への対応の遅れの原因として、**家族の認識不足**と**かかりつけ医の認識不足**があげられます。

①家族の認識不足への対策

　認知症の人の受診のきっかけは、家族の気づきによるところが大きな割合を占めています。そこで、一般の人（地域住民）に、認知症という疾患そのものを理解し、適切な対応方法を学ぶ啓蒙活動を広げていくことが重要です。

②かかりつけ医の認識不足への対策

　地域のかかりつけ医に対して、認知症への認識を促すとともに、連携ネットワークの構築が必要です。第8節で述べたとおり、厚生労働省は、かかりつけ医を対象とした研修事業を実施しています。研修修了者は「もの忘れ相談医」と認定され、ホームページ等で公表されています。

確認問題

問1
介護保険制度について、正しい記述を3つ選びなさい。

A　利用者は、原則、保険料を納付するほか、サービス利用料の1割を自己負担する。
B　65歳以上の人は、介護保険の第1号被保険者となる。
C　介護保険の保険者は国である。
D　要介護度は1～5に、要支援は1～2に区分される。
E　介護保険制度への加入は任意である。

問2
介護保険制度についての記述のうち、正しい組み合わせを1つ選びなさい。

A　保険給付を受けるには、要介護認定・要支援認定を受ける必要があり、その手続きとして市町村に申請を行う。
B　介護サービスを受けたときは、すべてのサービスにつき料金の3割を自己負担する。
C　住宅改修については、原則30万円までの保険給付が受けられる。
D　要支援1・2に認定された人には、地域包括支援センターが介護予防マネジメントを行う。
E　2006年の介護保険制度の改正により、地域密着型サービスが開始され、自立と認定された人も入院サービスを利用できるようになった。

① A・B　　② A・D　　③ B・C　　④ C・D　　⑤ D・E

問3
生活保護制度についての記述のうち、正しい組み合わせを1つ選びなさい。

A 生活保護制度は国民の財産権を保障するものである。
B 給付の種類は、生活扶助、住宅扶助など10種類ある。
C 生活保護受給者が医療サービスを受ける場合、医療扶助が給付される。
D 生活保護受給者が介護保険のサービスを受ける場合、自己負担は上限1,000円である。
E 介護保険の保険料は生活扶助に加算されて支給される。

① A・B ② A・C ③ B・C ④ C・E ⑤ D・E

問4
成年後見制度について、正しい記述の数を選びなさい。

A 支援する人を複数選ぶ事はできない。
B 民法に規定され、「地方裁判所」へ申請を行う。
C 判断能力の不十分な未成年を保護するための制度である。
D 「法定後見制度」の3類型とは、「補助」「保佐」「後見」である。
E 「任意後見制度」とは、判断能力が残っている間に取り決めて、内容は、「公正証書」にして保管する。

①5つ ②4つ ③3つ ④2つ ⑤1つ

問5
日常生活自立支援事業について、正しい記述を2つ選びなさい。

A 専門員が相談に応じ、ケアプランを作成する。
B 社会福祉法に定められる事業であり、実施主体は地域包括支援センターである。
C 本人が契約行為が不可能である場合は利用できない。
D 支援内容は、日常生活の金銭管理、契約締結時の助言、書類の預かりである。
E サービスの利用料は無料である。

問6
高齢者虐待について、正しい記述を2つ選びなさい。

A 厚生労働省の令和5年度調査によると、虐待をした人を続柄でみると多い順に、息子、夫、娘、妻である。
B 高齢者虐待の防止、高齢者の養護者に対する支援等に関する法律では、虐待を受けて生命に危険がある高齢者を発見したら、保健所または民生委員に通報しなくてはならない。
C 高齢者虐待は、介護者の心身のストレスから起きるものではない。
D 高齢者虐待の防止、高齢者の養護者に対する支援等に関する法律では、虐待を「養護者によるもの」と「養介護施設従事者等によるもの」に分け対応方法を決めている。
E 高齢者虐待の防止、高齢者の養護者に対する支援等に関する法律についての厚生労働省による分類のうち、ネグレクトは言葉による暴力である。

問7
認知症の人に対する医療サービスについての記述のうち、正しい組み合わせを1つ選びなさい。

A 認知症の人の支援体制の中核として、認知症疾患医療センターがある。
B 認知症の人の入院は、老人性認知症治療病棟と老人性認知症療養病棟が対応する。
C 老人性認知症治療病棟は、寝たきりでない人で、病状が不安定で中核症状が著しく投薬等が必要な人を対象とする。
D 老人性認知症療養病棟は、寝たきりの人を対象とする。
E 病院を退院した人に対しては、通所介護が望ましい。

① A・B　② A・C　③ B・C　④ C・D　⑤ D・E

解答と解説

問1
解答 → A・B・D

解説
A 生活保護を受けている人は、サービス利用料の自己負担はない。
B 40歳以上65歳未満の医療保険加入者は、第2号被保険者となる。
C 介護保険の保険者は市(区)町村である。
D 要支援・要介護のほか、非該当（自立）がある。
E 介護保険制度は強制加入である。

問2
解答 → ② A・D

解説
A 本人や家族が申請できない場合、地域包括支援センター、居宅介護支援事業者、介護保険施設などが申請を代行することもできる。
B すべてのサービスにつき料金の1割を自己負担する。
C 原則20万円までの保険給付が受けられる。
D 利用者の身体の状況に応じて、介護予防サービス計画書が作成される。
E 2006年の介護保険制度の改正により、自立と認定された人が利用できるようになったのは、介護予防事業である。

問3
解答 → ④ C・E

解説
A 生活保護制度は国民の生存権を保障するものである。
B 給付の種類は8種類である。
C すべての疾病が対象となり、医療費の全額が公費負担となる。
D 生活保護受給者が介護保険のサービスを受ける場合、自己負担はない。
E 65歳以上の人には介護保険料の納入義務があるため、介護保険料が加算される。

問4
解答　→　④2つ（D・E）
解説　A　複数人を選任することはできる。
　　　B　「家庭裁判所」へ申請する。
　　　C　判断能力の不十分な成年者（認知症者・精神障害者・知的障害者等）の保護・支援を目的としている。
　　　D　「法定後見制度」は、判断力の程度などによって「補助」「保佐」「後見」が選択できる。
　　　E　判断能力が残っている間に自分の意思で後見人を決めておく。

問5
解答　→　C・D
解説　A　専門員は相談に応じ支援計画を作成する。なお、ケアプランはケアマネジャーが作成するものである。
　　　B　社会福祉法に定められる事業であり、実施主体は社会福祉協議会である。
　　　C　契約締結能力がない場合は利用できないため、認知症高齢者の場合は、やがては利用契約終了となる。
　　　D　行為は本人が行い、サポートする人は本人ができるように付き添い指導・助言などをする。
　　　E　サービスの利用料は各社会福祉協議会で決められている。

問6
解答　→　A・D
解説　A　虐待の被害者は、女性が約7割である。
　　　B　生命に危険がある高齢者を発見したら、市（区）町村に通報しなくてはならない。
　　　C　介護者の心身のストレスによっても起きる。
　　　D　高齢者虐待を発見しやすい立場にある者が自覚して、早期発見に努める必要があることなども規定されている。
　　　E　ネグレクトは介護等放棄のことである。

問7

解答 → ① **A・B**

解説
- **A** 認知症疾患医療センターは、保健・医療・福祉等と連携し、相談・鑑別診断・治療・救急対応などを行う。
- **B** 老人性認知症治療病棟と老人性認知症療養病棟は、寝たきりではない人の入院に対応する。
- **C** 老人性認知症治療病棟は、寝たきりでない人で、病状が不安定で行動・心理症状（BPSD）が著しく投薬等が必要な人を対象とする。
- **D** 老人性認知症療養病棟は、寝たきりでない人で、病状が安定してきているが施設や自宅での生活が困難な人を対象とする。
- **E** 病院を退院した人に対しては、老人性認知症デイケアを勧める。

● 監修者プロフィール

一般社団法人総合ケア推進協議会
医療・福祉・介護・保健の各分野において、ケアを提供する側、およびされる側、ならびにその家族や関係者へ対して、フィジカル・メンタル・食・音楽等さまざまな手段を通じた総合的なケアに関する正しい知識や技術に関する研究、それらの教育・普及・推進に務めるとともに、すべての人の健やかな生活に貢献することを目的とし、推進している。

認知症ケア指導管理士試験（初級）公式テキスト

　　　　2015年3月20日　　初版第1刷発行
　　　　2025年9月2日　　改訂版第1刷発行

監 修 者　一般社団法人総合ケア推進協議会
発 行 所　一般社団法人総合ケア推進協議会
　　　　　〒111-0053 東京都台東区浅草橋1丁目32-3　2階
　　　　　電話(03)5829-6622

発 売 元　株式会社紀伊國屋書店
　　　　　〒153-8504 東京都目黒区下目黒3丁目7-10
　　　　　電話(03)6910-0519

© Total Care Promote Conference, 2015

印刷・製本　株式会社シナノパブリッシングプレス

ISBN 978-4-87738-622-1 C3047　　　Printed in Japan
定価はカバーに表示してあります

JCOPY〈(社)出版者著作権管理機構 委託出版物〉
本書の無断複写は著作権法上での例外を除き禁じられています。複写される場合は，そのつど事前に，(社)出版者著作権管理機構（電話03-3513-6969，FAX 03-3513-6979，e-mail：info@jcopy.or.jp）の許諾を得てください。

総合ケア推進協議会　好評既刊図書

健康予防管理専門士試験公式テキスト

[監修]
一般社団法人総合ケア推進協議会

A5判　224頁

健康予防管理専門士は、年齢・性別や生活習慣に合わせて健康管理・指導など一次予防を実施する知識と具体的方法を身につけることを目的としています。具体的には、生活習慣病・栄養素の理解、運動の知識や糖尿病をはじめとする多くの生活習慣病の基礎知識および予防の方法などが学べます。

整容介護コーディネーター試験公式テキスト

[監修]
一般社団法人総合ケア推進協議会

A5判　200頁

医療・介護現場において、高齢者に対する美容が注目されています。整容介護コーディネーターは、その美容ニーズに応え高齢者を美容面から支えます。そして高齢者と肌のふれあいやぬくもりを通じて、喜びや生きがいを提供します。

〔総合ケアシリーズ〕

[監修] 一般社団法人総合ケア推進協議会

本シリーズは、疾患をはじめ心と身体に関する知識を深めるとともに、実践的なケアを習得するために、医療者・介護者自身が自分で考え、答えを見つけることを目標としています。医療・介護現場で働くスタッフのスキルアップを目的とした認定資格「上級認知症ケア指導管理士」取得を目指す方にとって最適の内容です。

Ⅰ　認知症ケア論

認知症と認知症ケアに関する理解、更にそれらに付随する知識の構築を目標とします。
【認知症の医学的理解／認知症の症状とその対応／認知症の薬物療法／認知症の予防】

A5判　160頁

Ⅱ　多角的ケア論

ケアを必要とする人に多角的な視点からサポートを提供するための知識を習得し、医療者・介護者自身が適切なケアを導き出すことを目標としています。
【ケアに求められるマインド／ケアに求められるスキル／コミュニケーションの理解／チームケアの理解／食事、栄養ケア／口腔ケア／運動によるケア／メンタルケア／終末期のケア／エモーショナルケア／リスクマネジメント／患者・被介護者の死と死因究明制度】

A5判　290頁